CW00749732

Ludwig Bowitsch

Lebensbilder und Novellen

Ludwig Bowitsch: Lebensbilder und Novellen

Erstdruck: A. Dorfmeister's vorm. Mausberger's Verlagsbuchhandlung, 1848, ergänzt um zwei weitere Erzählungen: »Der Pfarrer und sein Schützling«: Aus: Die Plauderstube, 3. Februar 1861, Verlag von J. F. Rietsch, Landshut. »Die Drehorgel«: Aus: Der Wandersmann. Ein Volksbuch für das Jahr 1862. Wien, A. Pichler's Wittwe und Sohn, 1862.

Neuausgabe
Herausgegeben von Karl-Maria Guth
Berlin 2018

Umschlaggestaltung von Thomas Schultz-Overhage unter Verwendung des Bildes: Johann Nepomuk Passini, Blick auf Ober St. Veit, 1874

Gesetzt aus der Minion Pro, 11 pt

Die Sammlung Hofenberg erscheint im
Verlag der Contumax GmbH & Co. KG, Berlin
Herstellung: BoD - Books on Demand, Norderstedt

ISBN 978-3-7437-2660-4

Bibliografische Information der Deutschen Nationalbibliothek

Die Deutsche Nationalbibliothek verzeichnet diese Publikation in der Deutschen Nationalbibliografie; detaillierte bibliografische Daten sind im Internet über www.dnb.de abrufbar.

Inhalt

Marie

Marie war ein hübsches, schlankes, vollbusiges Mädchen von achtzehn Jahren. Ihre Mutter – von einem Vater schweigt die Geschichte – war Inhaberin einer kleinen Arbeitsschule. Marie war in weiblichen Putzarbeiten erfahren und so hatten Mutter und Tochter, in der Epoche, wo wir sie kennenlernen, eben nicht Grund über Not zu klagen.

Der Drechslermeister Horn, ein achtbarer Mann von etlichen 30 Jahren, gab sich alle Mühe, Mariens Herz zu gewinnen. Aber die Huldin war ebenso schnippisch als schön, und gab dem redlichen Werber nicht unzweideutig zu verstehen, dass er anderswo sein Glück suchen sollte.

Horn tat das Äußerste, was seine Vermögenskräfte zuließen. Er spendete zierliche Schmucksachen. Man sandte sie zurück. Er veranstaltete zum Namensfeste eine rauschende Nachtmusik. Marie ließ sich solches einmal für allemal feierlich verbieten.

Hätte Horn nicht innig geliebt, er wäre zornig geworden und im Zorne wäre seine Neigung untergegangen, so aber ward er traurig, sehr traurig.

Mariens Herz war jedoch keineswegs ein kaltes. Grün, der Schreiber des Advokaten N–, hatte nach vier Besuchen einen glänzenden Sieg über das schöne Kind davongetragen. Er besaß auch alle Eigenschaften, die einem Manne die Anerkennung unserer jetzigen Damenwelt sichern. Seine Statur war groß, sein Antlitz blass, sein Bart ansehnlich und schwarz. Er wusste sich (an Kosten anderer) galant zu kleiden und war – grundliederlich.

Nebenbei wiegte er sein Haupt mit arroganter Grazie und erklärte jeden, der rücksichtlich seiner Geisteshoheit bescheidene Zweifel zu hegen wagte, für einen dummen, elenden Menschen.

Die Mutter hielt mit der Gegenpartei. Natürlich erschien Grün der Jungfrau desto liebenswürdiger.

Der Mond, der Vater von so vielen zärtlichen Sünden, goss sein wehmütiges, schwärmerisches Licht über die Gestade der Donau, allwo das liebende Paar wanderte, und von Mahomeds höchstem Himmel träumte.

Sommerabend! – Mondschein – und die einsame – einsame Heide!

Die Mutter seufzte oft über das Benehmen der Tochter.

Das sonst so fröhliche Mädchen senkte das Köpfchen zur Erde und fuhr wie verzückt zusammen, sobald sie den Geliebten vorüberschreiten sah.

Die Mutter wurde krank. Die gewöhnlichen Einkünfte reichten nicht hin; jetzt galt es zum Ersparten greifen.

»Morgen, Marie, musst du dir á conto unsers Sparbüchleins einige Gulden verabfolgen lassen!«

Marie wurde totenbleich.

Das Sparkassenbüchlein war verschwunden.

Ein Geständnis unter einem Strom von Tränen.

Das Büchlein war längst von Grün in klingendes Metall verwandelt worden.

»Er hat mich gequält! – Mutter, ich bin strafwürdig, – aber ich hab's ihm nicht abschlagen können!«

Unglückliche Mutter! Unglückliches Kind!

Marie arbeitete Tag und Nacht, um für die Siechende Arzneien aufbringen zu können.

Die Mutter ward schwächer und schwächer. Mariens Wangen verloren der Röte letzte Spur. – Zuweilen zitterte ihr ganzer Körper.

Mit brechender Stimme bekannte sie ihrer Mutter, dass sie Mutter sei.

Binnen vier Tagen war die Alte tot.

»Mach diese überflüssigen Gerätschaften zu Geld«, sprach Grün, »was soll der Plunder, – wenn ich einen festen Posten inne habe, werd' ich dich heiraten, aber jetzt brauch' ich Geld!«

Das Leichenbegängnis wurde aufs Einfachste vollzogen – die Effekten erlebten ihre Veräußerung.

Marie ging in den Dienst einer eben nicht rühmlich bekannten Putzmacherin und genas daselbst eines Knabens.

Grün ließ sich indes durch derlei Ereignisse seine Lebenslust nicht verleiden. Er zechte und spielte recht wacker – vermehrte nach Kräften seine Schulden, bis er endlich vom Advokaten, der sich an einem solchen Wandel nicht erbauen konnte, förmlich entlassen wurde.

Seine Fassung verließ ihn nicht. – Er begab sich zu Marien, die er seit ihrer Entbindung nicht mehr besucht hatte, und die nun mit ihrem Knäblein ein enges Stübchen bewohnte, früh und spät über weiblichen Arbeiten sitzend, um ihr und ihres Kindes Leben zu fristen.

Alle Leiden waren vergessen, als sie den Geliebten schaute. – Er wusste sich mit einem Wortschwall zu entschuldigen – seine tragische Entlassung mit düstern Farben zu schildern.

Sie nahm die goldenen Ohrgehänge aus den Ohren, die sie zur Firmung von einer alten Patin erhalten, und reichte dieselben – das Letzte, was sie noch an Wert besaß – dem wüsten Gesellen.

Aber solches Bagatell reichte für Grün lange nicht aus. Er kam wieder und stürmte um Geld. – Marie tröstete ihn mit dem ausständigen geringen Erlös ihrer Arbeiten.

Doch – wenn sie auch darben wollte, das Kind schrie um Nahrung, – der Vollmond sah ins Zimmer trüb und schwermütig, wie er einst auf die Heide geschaut.

Ihre Gedanken rasten wild durcheinander.

Mit heißen Tränen benetzte sie den Knaben, küsste ihm die unschuldigen Lippen und starrte durchs Fenster hinaus auf die Straße.

Grässlich! – Aber um Nahrung wimmert das Kind – nach Geld hört sie im Geist schon den auf den künftigen Tag vertrösteten Geliebten schreien.

Sie hüllt ihr Antlitz ins weite graue Tuch und schreitet fort aus dem Zimmer.

Am Tore bleibt sie stehen! Ist ihr doch, als schaute sie die Mutter warnend vorüber wallen.

Furchtbarer Kampf der Gefühle! Sie verschwand über die Straßenecke.

Als der Morgen kam, stillte sie den Hunger des Kleinen und konnte auch den Geliebten bedenken.

Den ganzen Tag saß sie fleißig über bestellten Chemisetten, sprach kein Wort und weinte zuzeiten.

Der Ertrag ihrer Hände reichte jedoch nimmermehr hin, den Bedarf für sich und das Kind und die ewig wiederkehrenden Forderungen Grüns zu decken.

Noch so manches Mal sah man sie einsam zu Nacht hinwandeln durch bedenkliche Straßen.

Ein rasches Leben, ein heißes Gemüt, vernichtete bald die letzte Anmut Mariens.

Im Hause des Grafen O– traf sie mit Horn zusammen.

Beim Anblick der früh verwelkten Gestalt wollte ihm das Herz zerspringen.

Marie, alles Stolzes bar, machte ihm, gerührt von seiner Teilnahme, ein erschütterndes Geständnis ihrer Sünden.

Horn verhieß sie unterstützen zu wollen, – aber nur sollte sie wieder in Ehren wandeln und von Grün sich losreißen.

»Das Letzte vermag ich nicht!«, rief sie aus in Tränen zerfließend.

Fünf Wochen darauf lag die Unglückliche im Sarg.

Horn erbarmte sich des Knäbleins und behandelte es als sein eigen Kind.

Grüns Existenz ist auf fünf Jahre gesichert.

Er ist nämlich wegen Diebstahl verurteilt.

Aus dem Leben

Wir saßen Abends beisammen und plauderten.

»Wo doch der Kl– bleibt?«, wurde bereits mehrere Male gefragt. »Er hat ja sicher zu kommen versprochen, – lässt er gleich den ersten Tag nach seiner Rückkehr auf sich warten.« Endlich ging die Tür auf und der junge Doktor trat herein.

»So spät.«

»War im Irrenhause«, entgegnete Kl–, »und hab' mir da wieder Stoff zu neuen Ideen über die Menschheit gesammelt. – In der Tat«, setzte er nach einer Pause nachdenklich hinzu, »der Wahnsinn ist ein großes Glück!«

Alle lachten.

»Nun, da lacht ihr, weil ihr das Ding nur nach seiner Erscheinung beurteilt. Aber in der Tat, euch schmerzt die Krankheit des Irren mehr, als ihn selbst.«

»Am Ende willst du das Mitleid gegen diese Unglücklichen durch deine Behauptungen schmälern.«

»Nicht im Mindesten. Sie sind mehr oder weniger hilflos und bedürfen unserer Unterstützung, aber für den, dem die harte Schicksalshand das Liebste im Leben erschlagen, ist Wahnsinn ein Glück!«

»Sonderbar.«

»Nur wer sein Elend kennt und mit klaren, ungetrübten Augen in den schaurigen Abgrund seiner Schmerzen schaut, ist unglücklich.«

Kl– disputierte noch einige Zeit. Es wurde gelacht und getrunken. Gegen Mitternacht ging man nach Hause. Ewald und Kl– hatten denselben Weg. Der ganzen Nachbarschaft galten diese beiden als Muster der innigsten Freundschaft.

»Morgen«, sprach Kl– beim Abschiede, »geh ich einen entscheidenden Schritt. Sie, die in allen meinen Träumen lebt, soll mir sofort als Gattin das Leben verschönen. O wie glücklich werde ich sein in den Armen meiner engelreinen Caroline. Die Monate, welche ich von dir und ihr entfernt zubrachte, wurden mir zur Ewigkeit. Wie wird sie sich überrascht fühlen von meinem Glück, ich hab' ihr aus dem Grunde so lange nicht geschrieben. Gern hätt' ich sie schon heute geschaut, allein sie war bei der Muhme –.«

Ewald zitterte. »Es ist auch kalt«, endete Kl–, »ich hab' dich mit meinen Schwärmereien aufgehalten.«

Es war ein herrlicher Wintermorgen. Durch die an den Rändern mit Eisblumen verzierten Fensterscheiben fiel die Sonne in ein bleiches Gesicht.

Man pochte.

»Caroline!«, rief der Eintretende und hielt inne. »Caroline! – Ich hab' die Hindernisse überwunden. Ich stehe unabhängig und geachtet in der Welt. Werde mein Weib!« –

Caroline schwieg und wurde noch bleicher.

»Caroline«, sprach der Doktor, »das Ziel, wonach, wie du mir oft gestanden, deine wärmste Sehnsucht ging, ist erreicht.«

»Damals!«, schrie das Mädchen wild auf. »Ja ..., das war eine selige Zeit ... o, dein langes Verstummen! ... Ich bin ein verworfenes Mädchen ...!«

»Caroline!«

»Ich bin seit drei Monaten Mutter.«

»Caroline! Gott!«

»Ewald ist meines Kindes Vater«, stöhnte das Mädchen und sank ohnmächtig zu Boden.

Abends war Kl– nicht in unserer Gesellschaft.

Die Frau vom Hause, wo Kl– wohnte, wusste das plötzlich geänderte seltsame Betragen des sonst so heiteren Doktors nicht zu deuten. Umsonst waren Fragen.

Er weinte vor sich hin; er lächelte vor sich hin; zuweilen schüttelte er sein Haupt, dass die einzelnen Haare gleichsam elektrisch emporfuhren … er war … ein stiller Narr! ...

Eine Branntweinschenke

Lebensbild

In einer entlegenen Straße befindet sich eine düstere Branntweinschenke. Drei Sturzbacher haben bereits daselbst das Schankrecht geübt, nunmehr steht das Geschäft unter dem Horte eines sichern Kupferdach, der die Tochter des letzten Sturzbacher ins Ehebett geführt. Die kleine Schenke zählt nur wenig Tische, aber ein reges Leben herrscht immerfort. Am lebhaftesten ist es jedoch an dem Tische nächst dem, Winter und Sommer paradierenden Ofen, an dem die ehrenwerten Stammgäste sitzen – merkwürdige Gestalten.

Der mit der spitzen Nase und dem blendend weißen Haar, das auf den Wangen wie Schnee auf Ziegelsteinen liegt, ist der weiland reiche Zimmermeister Thomas Hasenschmerz.

Neben ihm der hagere, düstere Mann mit dem langen Schnurrbart über den zusammengekniffenen Lippen nennt sich Simon Klopfer, und war vor grauen Zeiten Schulgehilfe.

Diesem gegenüber sitzt ein junger Mann mit hochblondem Haar und aschgrauen, dem Erlöschen nahen Augen – ein verabschiedeter Soldat.

Neben ihm behauptet seinen Platz ein dickbäuchiger Träger, dessen feine misstönende Stimme durch den Lärm wie ein falscher Geigenstrich dringt.

Gegenüber der Mauer, an welche der Tisch mit eisernen Bändern befestigt ist, erhebt sich eine mittelgroße Figur mit blödem Gesichte und blauen Lippen, um welche wirr das lange Haupthaar flattert – ein 58-jähriger Hörer der Chirurgie.

Von diesen Stammgästen wird selten einer am Abend vermisst, vielmehr sind sie den größten Teil jeden Tages daselbst vereint zu finden. Der Schlussstein des Sturzbacher Hauses, Madame Kupferdach, ist auch so loyal, sich, wenn einer von diesen Gästen seine Zeche nicht bar erlegen kann, mit Effekten, als da sind: Hut, Rock, Stock u.s.w. zu begnügen; ja sie streckt sogar kleine Summen Geldes vor, dessen Interessen sie ganz christlich berechnet. Die gesamte Gesellschaft kommt darin überein, die Schenkeinhaber als honett zu preisen, und scheint nicht im Geringsten sich darob belästigt zu fühlen, mit Leib und Seele an den Branntwein verpfändet zu sein.

Ich habe den Leser an den Tisch geführt, wie er noch vor fünf Tagen besetzt war, denn seit jener Zeit hat das Konsortium einen Verlust erlitten, der jedoch wie wir hören werden, bereits ersetzt worden ist.

»Schon acht Uhr, tiefe Nacht«, bemerkte der Soldat, »und der Simon noch nicht da!«

»Dem muss was begegnet sein«, entgegnete der Träger.

Es ist neun Uhr.

Da tritt oder zittert vielmehr Simon Klopfer, von seinem 14-jährigen Knaben begleitet, ins Zimmer – totenbleich – die Lippen stärker verdreht als gewöhnlich.

»Heut von der hitzigsten Gattung«, war des Eintretenden erstes, an den Schenkeinhaber gerichtetes Wort.

»Und was hat denn der Narr?«, lachte der Soldat.

»Mein Weib ist gestorben! – Hat mir zu guter Letzt die grässlichsten Vorwürfe gemacht, dass sie seit zwei Jahren kein Hemd am Leibe gehabt hätte, dass ich alles vertrinke – ja, ja – die Weiber gönnen einem nichts. Aber der Zorn hat ihr das Leben ausgetan – lungensüchtig war sie ohnedem – die Wallungen! – Helf ihr Gott! – Sie ist im Paradiese!«

Die letzten Worte begleitete ein schauriges Lachen.

»Lass das, wirst dich doch nicht alterieren, den Schleppsack eingebüßt zu haben«, spottete der Träger.

»Ich bin jetzt ein freier Mann«, sprach Simon, zitterte jedoch dabei am ganzen Körper; der Knabe fasste ihn am Arme und sprach: »Vater, trink!«

»Ja«, fuhr Klopfer auf, »bist ein rechter Sohn, mein Blut rinnt in deinen Adern! Hab' dich auch deshalb aufgeführt bei der edlen Gesellschaft!«

»Freut uns, den Burschen kennenzulernen!«, scholl es von allen Seiten.

Simon tat aus dem Kruge kräftige, sehr kräftige Züge, und von allen Seiten wurde auf das Wohl des Ankömmlings angestoßen, der jedoch wegen Mangel an Platz stehen musste.

Indessen schien's mit der Ausgelassenheit doch nicht recht gehen zu wollen, und Simon wurde plötzlich still und die Augen gingen ihm über. »Wie die Zeit doch alles ändert!«, brach er endlich aus, hinter grelles Lachen sein wahres, ihm jedoch unwillkommenes Gefühl zu verbergen suchend. »Hätt' für meine Sophie einst mein Leben gegeben und heut' hab ich sie so kalt und gelassen in einen alten Fenstervorhang gewickelt – etwas muss man ja doch ins Grab mitgeben – und auf den Laden gelegt! – Ha, ha!«

»Richtig«, meinte der Zimmermeister, »Alles Chimäre, wie die sechs Häuser, die ich verspielt habe!«

»Mach' dir nichts d'raus, Bruder Simon«, nahm es der Soldat das Wort, »ich hab' meine Geliebte selbst erschlagen und – hab's verschmerzt!«

»So bravissimo!«, akkompagnierte der Verein.

»Ganz einfach! – Ich hab' ihr bereits alles durchgebracht gehabt, nur die Perlen – ein Erbstück ihrer Mutter, welche dieselbe ihr sterbend in die Hand gedrückt, wollte sie nicht lassen. – ›Weißt ja‹, so besinne ich mich ihrer Worte, ›dass ich dir alles, alles gerne gegeben, Geld und Unschuld, aber die Perlen lass mir‹, – tausendsapperment, das hat mir die Galle aufgerüttelt, hab' mein Korporalsinsignium genommen und ihr meine Herrlichkeit blau auf weiß so stark bewiesen, dass sie acht Tage darauf am Bluthusten starb. – Hat mich frappiert, – aber – nun Simon, was hast du denn?«

»Der Kerl wird sentimental«, brummte der Träger.

Simon zwickte die Lippen zusammen, grinste schauerlich und tat abermals kräftige, sehr kräftige Züge.

»Ist mir doch«, rief er aus, »als ob mir meine Sophie ihre eiskalte Totenhand an die Kehle legte, und sagte, du hast mich aus glücklichen Umständen herausgerissen, – hast mich – umgebracht!«

»Trink' Bruder! In Teufels Namen, – bei dir rappelt's.«

Simon trank, trank und trank, lehnte sein Haupt in die hohle, auf den Tisch gestützte Hand und schwieg.

»Nun«, begann der Zimmermeister zum Soldaten gewendet, »Ihr habt Euch leichter d'rein gefunden als der!«

»D'ran ist bei ihm das Lumpenzeug von Gelahrsamkeit Schuld. – Sag mir, Kollega, was nützen deine sechs Sprachen, – der Branntwein hat mehr Trosteskraft als dein Wissen!« Bei diesen Worten schüttelte der Träger den Schullehrer, dessen Kopf jedoch vom Tisch hinabglitt.

»Gotts Blitz«, donnerte er erschrocken. Simon schwieg. Der Chirurg richtete ihn auf und starrte ins aschfarbene Gesicht.

»Mit dem«, rief er aus, indem er den Puls fühlte, »hat der Tod Garaus gemacht, ihn hat der Schlag getroffen.«

»Was zu tun?«, fiel der Zimmermeister ein. »Wir werden uns doch heute das Vergnügen nicht verderben lassen!«

»Bewahre«, entschied der Soldat, »wir legen den Toten unter den Tisch und in den erledigten Platz rückt der Bursche ein, dem das eine Ehre sein muss, wenn er sich anders als wackern Sprössling dieses Toten beweisen will!«

Gesagt, getan.

Moderne Kabale

Eben hatte Clementine die Morgentoilette beendet, als ihr Vater mit einer außergewöhnlich ernsten Miene ins Zimmer trat.

»Tochter«, sprach er, »ich habe etwas Wichtiges vor.«

»So.«

»Du sollst heiraten. Der Großhändler Hieronymus Stümpel hat sich um deine Hand beworben, und, wie es ganz natürlich ist, habe ich sie ihm zugesagt.«

»Aber – heiraten ist ja meine Sache!« –

»Allerdings, jedoch den Mann dafür u.s.w. bestimme ich. Kurz, es ist entschieden. Künftigen Sonntag ist die Vermählung. Ich will die Sache rasch beendet wissen!«

»Aber um Gottes willen, ich hab' ihn ein einziges Mal gesehen.«

»Wirst ihn schon öfter seh'n.«

»Vater, ich kann ihn nicht heiraten.«

»Du musst, in einer halben Stunde wird er die Aufwartung machen. Ich hoffe, du wirst ihn empfangen, wie es sich für die Tochter eines aufgeklärten Bürgers geziemt.«

Clementine sank ohnmächtig auf einen Stuhl und schwieg.

»Es ist beim Himmel«, fuhr der ehrenwerte Meister Gerhard fort, »die Bahn deines Glückes gebrochen. Wem, außer diesem greisen Einfaltspinsel, wär' es in den Sinn gekommen, für das Töchterlein eines Bankrotteurs Geld und Freiheit hinzugeben. Dir bestimmt er als Nadelgeld allein jährlich 500 fl. und interessiert sich mit einer Einlage von 20.000 fl. für mein Geschäft.«

»Ich will, ich kann ihn nicht lieben«, rief Clementine aus.

»Ungeratenes Kind! So also beweisest du die Achtung, die du meinen grauen Haaren schuldig bist ... lieben ... lieben ... was das heißen soll ... heiraten sollst du und der Blitzableiter seiner männlichen Laune sein, weiter nichts ... und hast du die Kaprize, dich dann und wann noch außerdem einem galanten Cicisbeo an den Hals zu werfen, so wird ein honetter Ehemann sich auch nicht erhängen.«

Clementine sprach kein Wort – Tränen traten in ihre wehmütig flammenden Augen.

Da ward gepocht und Hieronymus trat ein. Es war eine rührende Begegnung. Hieronymus, dem bereits fünfundsechzig Sommer die Haare gebleicht und die von Geburt aus schiefe Schulter noch schiefer gedreht hatten, Hieronymus küsste mit einem feierlichen Knicks des Mädchens eiskalte Hand.

Clementine glich einer Statue und schien mit den Ansichten ihres Vaters vollkommen einverstanden.

Als beide ihr Zimmer verlassen hatten, schrieb sie einen Brief:

»Lieber Carl!

Grässliche Netze sind um mich gesponnen. Ich soll einen Mann heiraten, den ich verabscheue. Aber meine Liebe zu dir wird mir Kraft und Mittel geben, diese schändlichen Pläne zu vereiteln.

Clementine.«

Carl war herrschaftlicher Wirtschaftsrat und besaß, wenn auch kein Vermögen, doch ein anständiges Auskommen. In jedem andern Hause würde der junge rechtliche Mann als eine annehmbare Partie gegolten haben, allein Gerhard hatte ihm seine Tochter zu besuchen aus dem einfachen Grunde verboten, weil er die Schönheit und Jugend derselben nur um einen Preis, der die gesamten Schulden seiner honetten Handlung decken sollte, loszuschlagen gedachte. Das war freilich ein hoher Preis, aber der Intrigenfabrikation des ehrwürdigen Mannes gelang es dennoch, den für die Reize Clementinens blind enthusiasmierten Hieronymus ins Netz zu ziehen.

Carl las zitternd das Schreiben und stützte sein Haupt in die linke Hand. Groll gegen alle menschlichen Verhältnisse und Wehmut um die Geliebte herrschten abwechselnd in seiner Brust.

Im Gerhard'schen Hause ging's indes lebhaft her. Von dem soliden Grundsatze aller privilegierten Schuldenmacher: »Mein Geld kostet's nicht!« ausgehend, ließ er die großartigsten Vorbereitungen treffen. Die Nachbarsleute hatten ebenfalls viel Kraftaufwand not, um das neue Ehepaar nach Gebühr zu zergliedern, und als die verhängnisvolle Sonntagsvesperzeit gekommen, da gab's auf dem Kirchplatze eine solche Masse Publikum, dass man eher auf Rüstungen zu einem neuen Türkenzuge, als auf eine Heirat hätte schließen sollen.

Welch' bedenkliche Gesichter wurden jedoch geschnitten, welch' schauderhafte Lamentos erfüllten die Luft, als die Braut auf des Priesters Verehelichungsfrage ein entschiedenes »Nein« antwortete.

Gerhard wurde blaß wie eine Gipsfigur und legte seine zitternde Rechte auf die Schulter des degradierten Schwiegersohns.

Die Equipagen verloren sich nach allen Richtungen, und die Gäste schlugen sich wehmütig an den Magen, den sie umsonst einige Tage schon kasteit hatten, um ja den Hochzeitern keinen Korb geben zu dürfen.

»Nein, nein … und wieder nein!«, rief Gerhard. »Die Bestie ist wahnsinnig.«

Kaum zu Hause angelangt, riss er seiner Tochter das mit Blumen verzierte Atlaskleid vom Leibe und ließ eine Flut von Drohungen über die Arme erbrausen.

»Ich hab' nicht anders können und werde es nie anders halten, eher sterben, als mit einem Verhassten im Ehejoche ringen.«

Wütender noch als Gerhard war Hieronymus. »Diese Schmach trag' ich nicht!«, rief er aus.

»Halt«, entgegnete Gerhard, »ich weiß ein Mittel, das wird sie kirremachen und Euch vor der Welt reinigen. Ich erkläre meine Tochter als wahnsinnig, das wird ihr Lebenskonzept ein wenig in Ordnung bringen. Auf den Knien wird sie flehen, Hieronymus Stümpel heiraten und ihre närrische Umgebung verlassen zu dürfen. Aber wegen der Summe, die Sie mir vorzustrecken gelobten, hat es seine Richtigkeit.«

»Alles recht, alles recht, wenn ich nur die Schmach von mir gewälzt habe und den Trotzkopf in die heimlichen Regionen der Gardinen führe.«

Ein Arzt wurde gerufen. Gerhard erzählte ihm Wunder von seiner Tochter und ihrer Mondsüchtigkeit. Hieronymus vergütete ihm großmütig im Voraus die Mühen der Untersuchung.

Tags darauf stand ein Wagen vor dem Gerhard'schen Hause. Clementine wurde geknebelt und bewusstlos in denselben geschleppt. Als sie aus ihrer Ohnmacht erwachte, fand sie sich in Gesellschaft von Narren. Das arme Mädchen rang die Hände in wilder Verzweiflung.

»Halten Sie sich ruhig«, besänftigte eine nicht ganz verhärtete Wärterin. »Sie werden sonst ans Bett gefesselt.«

Carl war von all diesen Ereignissen im Innersten erschüttert. Er wollte sie besuchen, allein der Eintritt ward ihm verwehrt.

Unter mehreren Doktoren war einer so menschenfreundlich, sich wärmer für die Unglückliche zu verwenden. Er erkannte die Grundlosigkeit des vorgegebenen Irrsinns und bewarb sich um ihre Entlassung, zugleich brachte er die Verfügung zustande, dass Gerhard seines väterlichen Rechtes verlustig erklärt wurde.

Clementine wurde jedoch nie wieder recht froh. An dem Tage, als ihre Verehlichung mit Carl zum ersten Male verkündet wurde, verfiel sie in ein hitziges Fieber und lag bald darauf, den Myrthenkranz im Haar, auf der Bahre.

Der Totengräber

Novelle

Es war an einem Herbstabende des Jahres 1652, als Meister Antonio, der Totengräber des kleinen deutschen Städtchens A–, sich wehmütig auf seinen Spaten lehnte und hinausstarrte in die untersinkende Sonne. Es zogen mancherlei Bilder an seinem Geiste vorüber.

»Sind nun«, flüsterte er vor sich hin, »volle vierzig Jahre, dass ich mein ernstes Geschäft in diesem stillen Garten treibe! Unter Toten zum Leben neu erwacht, hab' ich mit den Toten mich befreundet! Die Welt und ich haben füreinander kein Herz! Einsam steh' ich unter meinen Kreuzen – welche Hand wird mich begraben!«

Es ward dunkler und dunkler. Schon breitete die Nacht ihren Sternenmantel übers Firmament. Da raffte sich der Gräber auf und wanderte seiner Behausung zu. Eben druckte er die Hand an die Schnalle, als es ihm dünkte, er höre ein Ächzen von den noch unverhüllten Gräbern her. Er horchte, die Töne wiederholten sich. Da säumte er nicht länger, zündete seine Laterne an und eilte nach der Stelle, von wannen das Geräusch erschallte. Er hatte am Tage viele in den kühlen Grund hinabgesenkt, denn die Sterblichkeit war groß.

Nach seiner Weise ließ er die Särge einige Zeit frei von Erde; dies hatte ihm sein eigenes Schicksal anempfohlen, denn er selbst war als ein zweijähriges Kind vom Totengräber aus dem Zustande des Scheintodes herausgerissen und dem Leben wieder gegeben worden. Antonio lauschte und entdeckte bald die Stätte, woraus die Töne quollen.

Er öffnete den Sarg. Er erkannte die Jungfrau, die man vor wenigen Tagen abseits von der Landstraße bewusstlos gefunden hatte, und die bald darauf im Kloster der Clarisserinnen verschieden war Die blassen Lippen zuckten, als er den Deckel lüftete, – die Augen leuchteten matt und groß auf – die Arme hoben sich im Wellenschwung empor.

Schaudernd fasste Antonio die eiskalte Gestalt in seine Arme, ergriff zugleich, so gut er konnte, die Laterne und wankte seiner Hütte zu.

Daselbst legte er die Ächzende in sein eigen Bett, machte Feuer an und handhabte einige Mittel, die er von seinem Pflegevater erlernt und schon einige Male in ähnlichen Fällen angewandt hatte.

Sorgsam achtete er auf jede Zuckung der Betäubten. – Immer regelmäßiger schlug der Puls – immer klarer schauten die Augen – die Wangen röteten sich – und wie Zephirhauch schien es zu flüstern: »Wo bin ich?«

Antonio zagte ihr den Ort zu nennen, wohl bewusst, dass ihr dies Entsetzen schaffen könnte. »Bei guten Menschen«, sprach er sanft.

Die Gestalt richtete sich vom Lager auf – stierte mit den großen blauen Augen nach allen Seiten und legte ihr Haupt freundlich lächelnd zurück in das Kissen.

So tiefen Eindruck hatte auf Antonio noch kein lebendes Wesen – noch keine Leiche gemacht. Der Aufregung folgte ein leiser Schlummer – der volle Busen wallte – liebliche Träume schienen über das feine Antlitz zu wandeln.

Antonio wachte neben dem wunderlieblichen Kinde und strich, wann ihm beim Umwenden die losen Locken ins Antlitz fielen, dieselben sachte zurück.

Schon dämmerte der Morgen – schon funkelte der Sonne Purpurschein an den Kreuzen – da fuhr die Schlafende empor – blickte hinaus und prallte erschüttert zusammen. »Wo bin ich? – Wo bin ich?«

»Fasst Euch, schöne Jungfrau. – Ihr seid bei einem Manne, der, wenn auch 60 Jahre seinen Scheitel bereiften, wenn auch Tausende vor seinem Handwerke schaudern, dennoch wärmer und inniger fühlt, als die brausende Welt.«

Die Jungfrau atmete stiller.

Es ward gepocht.

»Mich ruft meine Pflicht – es kommen wieder Leichen an! – Nun – nun – ich will den Türmer anreden, dass er mir aushilft. – Einen Augenblick – ich bin gleich wieder hier.«

In der Tat stand er bald wieder am Krankenbette.

Zwei Tage und Nächte gönnte er sich keine Ruhe.

Die Freude über die Wiedergenesung der Jungfrau erkräftigte ihn.

Am dritten Tage fühlte sich diese so stark, dass sie aufzustehen wünschte. Als sie über die Schwelle trat und die Hügel schaute, bebte ihr Herz.

»Jungfrau«, begann der Gräber, »ich wünschte ein König zu sein, auf dass an goldenem Zimmergetäfel sich Eure Blicke weiden könnten. Doch mein' ich, dass des Glückes nicht mehr dort, als hier.«

Nach manchen Fragen und Trosteswörten berichtete er die einfache Geschichte seines Lebenslaufs:

»Vor 58 Jahren – damals hallten die ersten Donner des Kriegs, der später ununterbrochen durch 30 Jahre gewütet – hat der Bebauer dieses Gottesackers mich als zartes Knäblein aus einem Knäuel von Leichnamen hervorgezogen, welche als Opfer eines Exzesses zur Beerdigung überbracht worden waren. Unter der Pflege des ehrlichen Isak wuchs ich heran. Alle Nachforschungen nach meiner Familie blieben fruchtlos. Ich ging in die Welt. In einem Dominikanerkloster lernte ich Latein und Musik. Aber ich fühlte nirgend mich heimisch – es trieb mich hierher, wo ich für mein glühendes Herz die einzige Stätte wahrer Liebe gefunden, – ich half meinem väterlichen Schirmer die Gräber bestellen, drückte, als er verblich, die Augen ihm zu und übernahm sein Geschäft.«

Da trat der Türmer ein: »Ihr müsst nun selbst dazuseh'n, Meister; ich bin vom Kirchenherrn abgerufen worden – es sind bis morgen noch vier neue Gräber zu machen.«

»Gottes Macht – das ist ein Sterben! – Die der Krieg verschont, frisst jetzt die Seuche im Frieden!«

Die Augen wollten ihm zusinken – er war vom Nachtwachen müde – dennoch raffte er sich zusammen, hieß die Jungfrau sich im Hause nach Willkür benehmen und ging ans Werk.

Zuweilen atmete er beim Schaufeln schwer auf. »Wie gut wäre es«, dachte er, »wenn ich jetzt ein Weib mein eigen nennen könnte. So aber bin ich außer dem Türmer mit keiner Seele befreundet.«

Nach Verlauf von wenigen Tagen fühlte sich die Jungfrau völlig wohl.

Antonio wagte nach dem Namen zu fragen:

»Bertha«, war die Antwort.

»Eltern?«

»Die sind tot«, bedeutete das Mädchen. »O stoßt mich nicht hinaus. – Ich will alles tun, was Ihr befehlet; ich will an den Anblick der Kreuze mich gewöhnen, will mithelfen beim Grubenmachen.«

Antonio schaute in die würdevollen schönen Gesichtszüge. Leiden hatte den Ausdruck der Hoheit gemildert und der Liebenswürdigkeit Glorie die Frauengestalt umhüllt.

Er hatte den Mut nicht, weiter zu fragen, gelobte, sie, so lange es ihr beliebte, unter seinem Dache zu belassen und vorwitzigen Fragern als ein Schwesterkind des alten Isak vorzustellen.

Es vergingen Tage, Wochen, Monate. Bertha erwies sich zuweilen recht heiter, streichelte dann mit ihren schlanken Fingern die braunen Wangen Antonios und schaute ihm wohl auch bei seinem Geschäfte zu, wenn im Hause, dessen Besorgung sie sich ausschließend vorbehalten hatte, nichts mehr zu schaffen war.

Dessen freute sich der Gräber über alle Maßen – warf noch einmal so leicht die schweren Schollen übereinander und konnte den Abend nicht oft genug einen glücklichen nennen, an dem er die Holde dem Kerker des Todes entrissen.

Oft wenn sie so innig ihren Arm um seinen Nacken schlang und das schöne Haupt gedankenvoll auf seine Schulter neigte, gemahnte es ihn zu fragen nach ihrer Heimat, nach ihren Eltern, aber der sanfte Vorwurf, der hierüber sich in ihren Blicken spiegelte, entwaffnete ihn so, dass er beschloss, nie wieder einen ähnlichen Versuch zu wagen.

Dem alten Türmer kam sein Freund ganz verändert vor. Er war's wohl auch. Das sonst so friedliche Herz schlug in kürzeren Pausen – das starre graue Auge funkelte wie fernes Wetterleuchten – und im Druck der Hand äußerte sich ein gewisses Feuer, das sonst dem grauen Gräber nicht eigen.

In ihre Blicke schaute er so gläubig und vertrauend, wie ins blaue Firmament, und ein Zaubergruß aus einer bessern Welt schien ihm jedes ihrer Worte.

Einst arbeitete er länger als gewöhnlich im schweigsamen Haine. Die Lampe, so er vor sich an einen Pfahl gebunden, war dem Erlöschen nahe. Der Mond goss sein volles Licht über das Gefilde. »Es ist Zeit«, fuhr es ihm durch den Sinn, »dass ich heimkehre. Das Übrige will ich morgen schaffen.«

Als er auf seine Haustür trat, gewahrte er drei Männer, deren Gesichter mit Larven verhüllt waren, über die Staketen springen. Ihn schauderte, er löschte das ohnehin matte Licht seiner Laterne aus und kauerte sich hinter einem verwitterten Leichensteine.

Die Männer, welche ihn in der Hast ihres Bestrebens nicht bemerkt hatten, rauschten an ihm vorüber, eilten gegen die Pforte des Hauses, indem sie solche Worte wechselten:

»Kein Licht – alles in Schlaf versunken – gleich dem Blitzstrahl wirke unsere Erscheinung.«

»Aufgewittert haben wir sie doch – diesmal soll sie uns nicht wieder entrinnen.«

»Teufel! Mir graut«, grollte der Dritte drein, »wollte, ich hätte Euch den Schwank allein ausführen lassen.«

»Mein muss sie sein und sei's nur auf Stunden, mehr verlang' ich mir nicht – zum Trotz dem alten Griesgram, der mir das Schätzel verweigert, dieweil ich mich auf Landstraßen und in Schenken ein wenig lustig gemacht.«

»Nun – nun«, betonte der Zweite, »sie sollen die Ritter der Freiheit und des Waldes kennenlernen.«

Ein Stoß und die Tür wich aus ihren Angeln. Einer der Banditen zündete eine Fackel an.

Der Gräber stürzte vor, in nerviger Faust den Spaten zum Schlage bereitend.

Er schaute durchs Fenster, schaute wie die Bebende vom Lager emporgerissen wurde – hörte ihr Weinen – und als der Erste, die Ächzende in den Armen, herausstürzte – da zerschmetterte das Eisen das Haupt des Verruchten. – Er sank und röchelte dumpf.

Ein zweiter Schlag und zusammenbrach der Fackelträger.

»Schont meiner, furchtbarer Rächer!«, flehte der Dritte. »Ich ward zum Bubenstück gezwungen.«

Antonio fasste die am Boden liegende Fackel und beleuchtete die Szene. Ohnmächtig sank Bertha an seine Brust.

»Ich bin ein Lanzenknecht«, fuhr der Flehende fort, »den Not und Elend in die Hände dieser Räuber geführt.«

Die beiden Gefallenen gaben kein Lebenszeichen mehr von sich – sie hatten ausgezuckt!

So öde gelegen der Kirchhof war, hatte das Ereignis doch alsbald seine Zeugen. Ein Trupp Zechgenossen, unter denen der Türmer sich befand, war von einem entlegenen Bauergehöft auf der Heimkehr begriffen – hatte das Lärmen vernommen und stürzte gegen das Friedhofstor.

Antonio öffnete.

Sein Wort hatte Geltung.

Er übergab dem Schirme der Menge den Lanzenknecht, brachte seine zitternde Bertha zu Bette, nächst dem er in Gesellschaft des Türmers die Nacht durchwachte.

Am Morgen ward die Sache vor dem Stadtgericht verhandelt.

Bertha konnte schwächehalber nicht selbst erscheinen, doch konstatierte sich aus ihren Aussagen und den Berichten des Lanzenknechtes folgendes Faktum:

Bertha war die Tochter des Grafen Heinrich O–, dieser war der zweitgeborne Sohn des biedern Oskar, eines der reichsten Herren im Lande. Der Erstgeborne war in einem Alter von zwei Jahren verschwunden und keine Nachforschungen konnten auf die Spur des Verunglückten führen. Mit diesem Oskar lebte Graf Bertram, sein einziger, jedoch ferner Verwandter, im bittersten Hasse. Oskar starb. Heinrich starb. Bertrams Sohn, Adolph, grundschlecht wie sein Vater, wusste die

Rechte eines Vormundes über die jugendliche Bertha, welche ihm vom Vater fürs Ehebett abgeschlagen worden war, sich zu erringen. Nun suchte er seinen Schandtaten die Krone aufzusetzen und durch Berthas Gold die Bezichtigungen, welche gegen sein früheres Leben als Meuter und Straßenräuber obschwebten, darniederzuschlagen. Eine Flucht führte die Unglückliche in das Asyl des Gottesackers.

Dieser Adolph war's nun, der der Erste unter Antonios Spaten gefallen – der andere war ein Zechfreund, ihm ähnlich im Wollen und Handeln.

»Hier ist noch ein Brief des Grafen Oskar«, äußerte der Lanzenknecht beim letzten Verhör, »der an einen Waffenfreund lautet, und worin einige Kennzeichen des verlornen Erstgebornen Anton aufgeführt sind: der kleine Finger an der linken Hand fehlt, sein Hemd trägt die Buchstaben A.D, als Amulett trug er ein kleines diamantenes Kreuz, auf der Rückseite im Golde die Inschrift: Für Wahrheit und Recht.«

»Gott«, stammelte Antonio und erblasste, »ich bin sein Sohn!«

Nachdem alles außer Zweifel gestellt worden war, erkannten die Gerichte den Totengräber Antonio als Grafen von O.

Bertha ward vom Kirchhofe in eines der schönsten Häuser des Städtchens übersiedelt. Das wundersame Geschick und ihre Schönheit setzten tausend Lippen in Bewegung. Ein reicher Gerichtsherr der Umgegend erwarb ihre Neigung und ihre Hand. Dem alten Antonio ward wundersam. Er freute sich am Glücke seiner Nichte, aber weinte zugleich, wenn er sah, wie sie den schönen Gatten so herzlich umarmte und küsste.

Bertha war des greisen Mannes erste und letzte Liebe.

Eines Morgens brachte er all seine Angelegenheiten in Ordnung. Seine Nichte erkor er zur Universalerbin, – den Türmer, seinen alten Freund, der mittlerweile die Toten besorgt hatte, bedachte er reichlich. Er selbst – umsonst war Dräuen und Bitten – ging wieder hinaus zum Kirchhof als – Gräber.

Der Gast von Barcelona

Als die Pest 1821 durch Barcelona zog, herrschte Totenstille. – Die sich früher herzlich die Hand gedrückt, wichen sich nun aus. Die Bande der Geselligkeit waren zerrissen. Nur einer gab das Beispiel der Unerschrockenheit. Nur einer wandelte sonder Beben durch die menschenleeren Straßen. Es war ein Fremder, man bezeichnete ihn mit der Firma eines Kaufmanns aus Venedig. Die Sage ging, dass er unter allen Himmelsstrichen schon gewaltet, dass er unter Afrikas Palmen und auf Lapplands Rentierhäuten geruht. Was ihm übrigens besondere Achtung erzwang, war sein märchenhafter Reichtum.

Es war spätabends, als Charles von seiner geliebten Bianca Abschied nahm. Das Mädchen sah den Geliebten ungern scheiden – konnte doch niemand zuverlässig hoffen auf den künftigen Tag – binnen wenig Stunden endete oft der kräftigste Mensch. – Sie küsste den Teuren auf die bleiche Stirn und lispelte: »Morgen wieder!«

Des Mädchens altes Mütterlein leuchtete dem schlanken Franzosen zur Tür hinaus mit der herzlichen Mahnung, Acht zu haben, dass ihm kein Unglück widerführe.

»Wäre mir umso unliebsamer, da ich eben 20.000 Franks in Papieren bei mir trage, die ich erst nachmittags einkassiert habe.«

Sprach's und trat hinaus auf die Straße, die kein Licht erleuchtete, kein Fußtritt hallen machte.

Andern Tages schaute Bianca hinab vom Fenster und harrte auf Charles. – Leichen um Leichen wurden vorübergetragen – Charles erschien nicht. Vor Sonnenuntergang erschien ein Gerichtsdiener.

»Werden schon wissen?«

»Was?«

»Der Franzose, der oft bei Ihnen verweilte, ist heute Nacht tot gefunden worden – die Pest ist schnell.«

Bianca brach zusammen.

»Ich bin hier, um die allfälligen Papiere des Toten in Verwahrung zu bringen, auf dass sich Spaniens Regierung gegenüber dem Auslande rechtfertigen kann!«

»Armer Charles«, seufzte die Alte, »unglücklicher Jüngling, der zum Sterben nach Barcelona gekommen!«

»Es fragt sich auch noch um Gelder, die er eingetrieben hat«, bedeutete der Scherge.

Mutter und Tochter wurden in Gewahrsam gebracht, da aber kein Verdacht gegen sie – die allenthalben als wohlhabend und edel galten – begründet werden konnte, und die Richter selbst ihr Amt lässig verwalteten, fürchtend, von den Inquisiten angesteckt zu werden, wurden sie bald entlassen.

Bianca zerfloss um Charles in Tränen. Die richterliche Untersuchung hatte sie kalt gelassen. Sie träumte nur von ihrem geliebten Toten.

Die alte Frau befand sich sehr leidend. Bianca, selber schwach, wartete der Kranken.

Der Mond warf sein blasses Licht durchs Fenster.

Es ward gepocht.

Bianca zögerte zu öffnen.

Das Pochen wurde stärker.

Bianca fragte.

»Einen letzten Gruß bring' ich vom toten Charles«, tönte eine Vertrauen einflößende Stimme.

Bianca öffnete.

Eine hohe Mannesgestalt trat ein. Es war der gerühmte venezianische Kaufherr. »Er hat für Sie, verehrte Donna«, sprach er sanft, »bevor er schied, bei mir eine kleine Perlenschnur ausgehandelt. – Ich überreiche sie Ihnen hier als ein teures Angedenken!«

Die Worte sprechend, wandte er sein Antlitz nach Biancas schlummernder Mutter und schauderte. »Die Pest«, rief er aus, »o retten Sie sich, Donna – entfernen Sie sich – sonst in wenig Minuten sind auch Sie ein Raub des Todes. Ich habe mir in dieser Krankheit auf meiner Reise schaurige aber verlässliche Erfahrungen eigen gemacht!«

Bianca wollte sich auf die Mutter stürzen. Der Fremde stieß sie fort – befühlte die Schläfen und den Hals der Alten, und äußerte dumpf: »Die ist tot.«

In der Tat – das Antlitz war blau – der Puls stand still.

Bianca ließ sich nun nimmer halten und neigte sich über die Tote.

Der Fremde richtete sich hoch auf – klammerte seine eisernen Finger um den schwachen Mädchenhals – ein Druck – Bianca war nicht mehr.

Was an Gold und Goldeswert vorhanden, nahm der Grässliche zu sich.

Da erscholl Waffenklang und Männerruf. – Die Türen fuhren auseinander – eine verkümmerte Gestalt, begleitet von zahlreicher Wache, trat ein.

»Kennst du mich?«

»Fernando!«, rief der Venezianer.

»Fernando«, betonte grässlich der hagere Herausforderer, »ja Fernando, den du zu Freveln verlockt, der mit dir den allgemeinen Schrecken benützt, der mit dir gewürgt und geplündert, der mit dir die Lande durchzogen, den du mit kunstreicher Hand in Algier erdrosselt zu haben gewähnt, – der steht vor dir – verfluchend dich und sich, bereitet unter Henkershand zu verbluten, in dem Gedanken, Gnade von dem ewigen Richter erwartend, einen der größten Schurken vernichtet zu haben!«

Einige Wochen danach fiel Roberto, so hieß der Fremde, unter Henkers Hand. Er hatte nach seinem eigenen Geständnisse in den Erdstrichen, wo die Pest grassierte, das Grauen der Einwohner benützend, gegen 300 Opfer – worunter auch Charles – gefällt und ausgeplündert. Sein Vermögen betrug gegen zwei Millionen. Was sich hiervon in Barcelona vorfand, wurde unter die Armen verteilt.

Fernando erlebte Robertos Hinrichtung und sein eigenes Urteil nicht. Er starb – im Innersten erschüttert unter grässlichen Qualen – wenige Tage nach des fürchterlichen Würgers Verhaftung.

Der Schwärmer

Ein kleines psychologisches Gemälde

Wenn ich mit dem Zauberstabe der Erinnerung die Geister der Vergangenheit heraufbeschwöre, dann fehlt auch gewiss das Bild eines Jugendfreundes nicht, der, wenn ich gleich seine innigste Zuneigung nicht besaß, mir dennoch teuer war.

Vor 10 bis 16 Jahren (wir waren gleichen Alters) trafen wir uns fast jeden Tag. Die Namen Karl und Ludwig wurden gebraucht, wenn es galt, zwei junge Freunde zu bezeichnen.

Die Verhältnisse änderten sich. Wir sahen uns seltener und der leidenschaftliche Karl wandte sein glühendes Gemüt nach einem andern Jüngling, den ich Adolph nennen will.

Hätte ich gewusst im Jahre 18–, an dessen vorletztem Februartage er sinnend an mir vorüberging, das Haupt zur Erde beugte, die dunklen träumerischen Augen unstet funkeln ließ und mir ein leises »Guten Tag!« zuflüsterte, dass diese Begegnung die letzte wäre, ich würde nicht mit einem so kalten »Gleichfalls!« vorübergegangen sein.

Karl war der Sohn eines bereits jubilierten Landrichters, der begütert und nebenbei adelig war. Ich kann mir den alten Herrn recht lebhaft vorstellen, wenn er sich über seinen alten Stammbaum ereiferte und von dessen Verherrlichung durch seinen Karl träumte.

Karl war ein ausgezeichneter Student. Lebhaftes Auffassen, tiefes Nachsinnen fanden sich in ihm vereint. – Sein Gemüt schwankte zwischen leichtem Sinn und Melancholie, bis endlich letztere den traurigen Sieg über den edlen Schwärmer davontrug.

Adolph war – oder ist es vielmehr – ein ganz gewöhnlicher Mensch – nicht ohne wohlwollenden Gefühlen, jedoch flach – Sklave jeder äußern Erscheinung – bar aller tieferen Ansicht.

Im Hause des Großhändlers K– lernte Karl die liebliche Helene kennen. Bald neigten sich beide einander mit warmer Liebe zu. Karls Vater schwelgte schon in den süßen Gedanken der glücklichen Vermählung seines Sohnes.

Durch Karl kam auch Adolph in die Lage, Helene schauen und ihre Anmut bewundern zu können.

Helene legte indes allenthalben ihre Abneigung gegen Adolph an den Tag, und es gab daher umso mehr zu bestaunen und zu bereden, als Adolph die Großhändlerstochter als Braut zum Altare führte und Karl als Vermisster in den Zeitungsblättern vorgerufen ward.

Geraume Zeit nach diesen Ereignissen entdeckte der greise Landrichter das Tagebuch seines unglücklichen Sohnes, das über den sonderbaren Vorfall näheren Aufschluss bietet.

Der biedere Mann hat mir dasselbe mitgeteilt und ich lege nun, da auch er nicht mehr ist, einige Blätter hieraus den Lesern vor:

August 18–

Helene ist ein Engel! – Scheint es doch, als ob ein jeder Stern, der vom Nachthimmel herab in mein Fenster schaut, mir einen Gruß von der Lieblichen zuflüsterte. – So reizend, so wunderhold, wie am heutigen Abende ist sie mir noch nie erschienen.

August 18–

So neigt sich der zwanzigste Geburtstag auch bald seinem Ende zu. Ich war heute recht glücklich. Der Rosenstrauß, den mir Helene gesandt, kann verwelken, aber die Erinnerung an das Gefühl wird bleiben, welches mich bei der Überzeugung durchdrang, dass sie meiner gedenke, dass ich ihr nicht gleichgültig sei.

August 18–

Wie doch eine Kleinigkeit mich so erzürnen kann. Schon hundertmal hab' ich mir vorgenommen, wenn Adolph seine Handlungswissenschaften über alles hob, ihm nicht mehr widersprechen zu wollen. Und heute – ich war ein Tor, mich so zu ereifern.

August 18–

Adolph hat recht. Comptoirwissen ist ein reelles – das Resultat ein unleugbares. Bei meiner Philosophie und Ästhetik hab' ich ein unklar Gemüt. Dass ich über das Gebiet der Wirklichkeit hinaus auf den

Schwingen der Forschung und der Phantasie mich zu erheben vermag, was frommt es?

August 18–

Adolph und ich sind nun wieder völlig ausgesöhnt. Er ist ein trefflicher Mensch. Wenn wir ein wenig miteinander brechen, sehe ich erst recht ein, wie unersetzlich sein Verlust für mich wäre! – Unersetzlich!? Auch durch Helene? – Herz schweige! – Dass ich doch immer auch gleich an Helene denke!

August 18–

Wie göttlich schön war der Traum dieser Nacht! Vor einem hohen prächtigen Tempel, dessen Säulen gleich Diamanten funkelten, schien ich mir zu verweilen. – Von den herrlichsten Blumen war das Feengebäude umrankt! Als ich schüchtern die glatten Stufen hinanstieg, tauchten liebliche Mädchengestalten um mich her empor und schlossen einen Reigen. Die ihn führte, war üppiger und schöner geformt als die andern. Als sie näher gegen mich sich wandte, gewannen die Züge immer mehr Ausdruck und Feuer, und verklärten sich zu Helenens süßem Antlitz. Sie neigte ihr Haupt gegen meine Stirn und schien sie küssen zu wollen. – »Helene«, rief ich, »du hier in diesem Zauberreich?« – »O warum hast du mich beim Namen genannt«, flüsterten die Rosenlippen, »nun muss ich dich verlassen –« Das Traumbild schwand – ich erwachte.

Eine nichtssagende Phantasieschöpfung! Und doch bin ich so froh, so selig! O verneine mir keiner, dass in Träumen ein Fond menschlicher Seligkeiten ruhe!

September 18–

Sie liebt mich innig. – Wie sie ihr Haupt auf meine Schulter lehnte, wie ihre Locken mein Antlitz berührten! – Diesen Blick – ich werde ihn nie vergessen. – Und die Worte: »Ich bin Ihnen recht gut«, sie klangen gleich Orgeltönen durch die Morgenluft.

September 18–

Ich habe einen trefflichen Vater. Er freut sich mit mir, dass ich liebe und geliebt werde! Alle meine Kraft will ich zusammenraffen! Winkt mir doch das herrlichste Ziel! Ich muss in der Welt mir eine Stellung erringen! O könnte ich doch Jahre überfliegen! – Aber nein – der Augenblick, wo ich Helenen meine Hand als Gatte bieten darf, ist ein jahrelanges Streben wert! In diesem Geist will ich handeln.

September 18–

Adolph preist mich glücklich! – Er nimmt Anteil an meinem Geschicke! – Ich bin auch zu beneiden!

September 18–

Wahrlich, auch ich bin nicht frei von Eifersüchtelein! – Dass er ihr manchmal die Hand herzlich drückt. – Ist sie doch die Geliebte seines Freundes. – Und dennoch durchzuckt's mich wundersam. – Jeder Blick, den er ihr zuwendet, dünkt mich ein Diebstahl an meinen Rechten! – Ich bin ein kindischer Mensch!

September 18–

O wie schäme ich mich, heute das Resultat des Tages niederzuschreiben! – Karl, du darfst dich nicht selbst beschönigen – du bist ein Tor! Dass er die Busenschleife, die sie fallen ließ, küsste, – nun – nun – ich würde mich gegen seine Geliebte nicht so betragen, – doch die Menschen sind verschieden! – Er hat gewiss nicht den tiefen Sinn hineingelegt, den du darin gefunden! Karl, Karl, du hast heut den Adolph bitter gekränkt.

September 18–

Sie schätzt ihn nicht – es ist klar, wie kurz sie ihn heute behandelt.

September 18–

»So warm ich dich liebe, so wenig bin ich deinem Freunde gewogen! Ich kann gar nicht begreifen, wie du diesen seichten Menschen zum Vertrauten deines Herzens wählen konntest.« Das war ihr Wort; ich habe heimlich triumphiert und ihr schweigend Recht gegeben.

Es war nicht schön gehandelt. – Adolph ist mein Freund; ich hätte ihn verteidigen sollen!

September 18–

Seit drei Tagen sieht er mich nicht an. – Es muss ihn schmerzen – nicht allein, dass ich glücklicher bin als er, sondern dass ich auch kälter gegen ihn mich zeige. Adolph, ich bereue!

Oktober 18–

Ich habe ihm heute die Hand gedrückt so freundlich, so innig, wie sonst; er hat sie aus der meinen gerissen und mich einen Heuchler genannt.

Oktober 18–

Ich bin unzufrieden – ich bin – nein, das darf ich nicht sagen – unglücklich bin ich nicht – hat mich doch heute die holde Helene geküsst.

Oktober 18–

Mit der Freundschaft scheint's zu Grabe zu gehen! Muss denn ein Glück erlöschen, wenn das andere leuchten soll!

Oktober 18–

Sie hat mich gefragt, warum ich so düster sei. Ich hab' ihr's offen bekannt. »Also gilt dir der Freund mehr als ich«, sprach sie und die Augen wurden feucht. »O du liebst mich nicht, wie ich liebe – für dich würde ich auf die ganze Welt verzichten – Vater, Mutter, Bruder, Schwester verlassen – in eine Einöde mit dir ziehen. – O du liebst nicht, wie ich liebe!«

Helene! Diese Worte brennen in meiner Erinnerung.

November 18–

Ich habe sie geküsst. – Sie hat sich küssen lassen. Wie doch die Mädchen sind. Ganz anders blickt sie jetzt – so still – so wehmütig.

November 18–

Schauerlich Zusammentreffen! – Adolph – Adolph. – Wie sie sich freundlich heute gegen ihn erwies! – O wär' ich doch kalt geblieben. – Ach, mein guter Engel, warum hast du mich verlassen! »Wollen Sie jetzt schon den Despoten spielen«, scholl ihr spöttisch Wort. »Ist es mir verwehrt, mich gegen Ihren Freund, den Sie selber so emporheben, gefällig zu zeigen. Sie scheinen sich von kindischer Empfindelei beherrschen zu lassen!«

Du hast recht, Helene – ich bin kindisch.

November 18–

Mit welch' kaltem Stolze er mir berichtete, dass er morgen zum ersten Male als selbstständiger Kaufmann seine Rolle spielen werde. Wie er es höhnend hinwarf, dass ihm zu seinem Glücke nichts als ein Weib fehle, welches meiner Helene gleiche.

November 18–

Ich hätte Kaufmann werden sollen. Ich stünde nun auch schon als Mann in der Welt und könnte hintreten vor Helene und ihre Hand mir erbitten. Zwischen ihr und mir liegen Jahre!

Ach Liebe, warum bist du in mein Herz gezogen, warum hast du eine Sehnsucht erweckt, in der ich, bevor sie zur Erfüllung reifet, verschmachte!

November 18–

Wie freundlich war sie heut wieder mit ihm! – Sie hasst ihn nicht! – Was sollte sie's auch! Er ist ein hübscher Mann – hat sein Geschäft! Es freut mich, dass ich so gut den Kalten affektierte! – Er will mit meinen Worten sparsamer sein! – Er ist für sie eine bessere Partie!

November 18–

Das Dienstmädchen hat gesagt, dass Helene stundenlang weint. Wem gelten diese Tränen!? Fließen sie mir? – Nein! Schwärmerische Eitelkeit, fahre hin! – Und – ja doch – was kümmert's mich! – Mädchen sind ja bald gerührt, bald kalt! – Ist's mir doch jetzt selbst, als sollt' ich weinen!

Dezember 18–

Mit der Freundschaft ist's gar – bald auch mit der Liebe! – Es sind ihre letzten Zuckungen!

Dezember 18–

Drei Tage habe ich sie nicht gesehen! – Meine Welt ist tot! – Es wird vorübergehen! Draußen liegt der Schnee und der Lindenbaum vor meinem Fenster streckt seine dürren Arme in die Luft. – Aber der Frühling wird kommen – der Rasen wird grünen – und die Linde wieder blühen! Auch ich kann wieder glücklich werden!

Dezember 18–

Adolph hat mich ernstlich gefragt, ob ich fernerhin Ansprüche auf Helene mache. Er hat mir beteuert, dass er sie innig liebe. Ich habe mein stärkstes Wollen aufgeboten und versichert, dass meine Neigung zu ihr eine flüchtige gewesen sei, dass ich bald in andern Armen Ersatz zu finden hoffe.

Er hat mich umarmt!

Er liebt sie – ich will mich fremden Glücke nicht entgegendämmen.

Dezember 18–

Mein Vater ist sehr erschüttert, dass ich um Helene zu werben aufgegeben.

Er scheint das schöne Kind sehr hoch zu achten!

Dezember 18–

Helenens Vater hat an meinen Vater um Aufklärung geschrieben über der Tochter Verhältnis zu mir. Er glaube, ist der Inhalt des Briefes, dass ich seine Tochter nicht ernstlich liebe, dass ich ein leichtbeweglicher Jüngling sei, den bald ein Mädchen entzücke, bald wieder gleichgültig lasse. Er erbitte sich von meinem Vater als wahrem Freunde den nötigen Bescheid, um über seiner Tochter Hand anderwärts verfügen zu können.

Mein Vater hat mich zur Rede gestellt. Es ward mir wunderseltsam zumut. – Ich habe einen glänzenden Sieg über mich davon getragen!

»Ich täuschte mich«, war meine Äußerung, »mit meinen eigenen Gefühlen, Helene ist kein Mädchen für mein Herz.«

»Ich werde meinen einzigen Sohn nicht zu einem Schritt, der das Glück des ganzen Lebens entscheidet, bereden, noch weniger zwingen. Ich hätte es gern gesehen! – Nun es anders, will ich dem alten Freunde bedeuten, dass der Kinder Vereinigung das Band nicht fester knüpfen wird!«

Dezember 18–

Ich glaube gut gehandelt zu haben und mir graut. – Tausend Gedanken schlag ich nieder, tausend tauchen wieder auf – Helene! Helene!

Dezember 18–

Sie hat geschrieben. Es sind die Züge der teuren Hand!

»Seien Sie offen und wahr, es gilt keine Koketterie; die Wohlfahrt zweier Menschenleben steht auf der Spitze. Mein Vater sagt, Sie hätten erklärt, dass Sie mich nicht lieben könnten. Gut, dann sind Ihre Gelöbnisse nur Seifenblasen gewesen und ich weiß, was ich von Männern zu halten habe. – Dann will ich Ihrem Freunde Adolph, der um meine Hand angehalten, als Gattin sonder Neigung durchs Leben folgen, weil es eben der Wunsch meines Vaters ist, der in ihm einen tüchtigen Kaufmann gewahrt und mich gern versorgt wissen will! Wenn Sie aber wirklich lieben, dann vergessen Sie, wenn ich Sie durch meine Laune beleidigt habe, – treten Sie vor meinen Vater und erklären Sie sich.

Helene«

Sie liebt mich. – Ich will ihr zu Füßen fallen. – Mir schwindelt.

Denselben Tag Abends.

Auf dem Weg zu Helene ist mir Adolph begegnet. Er hat mich seinen lieben Freund genannt. Er hat mir berichtet, dass der alte Herr ihm Helene bereits zugesagt habe.

Wie sein Auge funkelte, als er von der nahen Vermählung sprach.

Es zerdrückte mir das Herz – ich schüttelte seine Hand – kehrte nach Hause zurück.

Hier sitze ich nun unter meinen Büchern, die mir keinen Trost gewähren; unter Gemälden, die sonst meine Freude waren! Alles schal und leer!

Ich kann mich nicht recht fassen. – Ich blättere in meinen Erinnerungen – ich blättere in meinem Tagebuche. – Ein welkes Rosenblatt – Helene!

Dezember 18–

Es ist beschlossen, mein besseres Ich hat gesiegt. – Wenn mich auch Helene liebt – ihn hasst sie doch auch nicht. – Sie wird glücklich werden mit ihm – glücklicher als sie es mit mir geworden wäre. – Ich will eines Freundes würdig handeln – ein Opfer bringen. Über die Erhabenheit der Handlung will ich ihre Qual vergessen. Wandelt hin zu ihr, ihr Zeilen! – Eine Lüge! – Aber eine edle Lüge!

»Edle Freundin!

Ich achte Sie für so groß und erhaben, dass Sie so das offene Geständnis eines Mannes ehren werden, selbst wenn es Ihrer weiblichen Eitelkeit den Gnadenstoß gäbe. Sie werden mir vergeben, wenn ich Ihnen auch Schmerz verursachen sollte. – Ich habe ein Mädchen kennengelernt, dessen Denk- und Gemütsart mich unwiderstehlich gefesselt und überzeugt hat, dass jene Neigung, die ich gegen Sie empfunden, zwar aufrichtige Freundschaft, aber nicht Liebe gewesen sei.

Karl.«

Dezember 18–

Der Brief soll gewirkt, Helene gerast und Adolphs Weib werden zu wollen verheißen haben.

Dezember 18–

Allenthalben geht die Sage, dass Helene bald heiraten werde!

Dezember 18–

Mein Vater ist sehr traurig. »Aber Helene ist so schön, so gut, wie konntest du die von dir weisen«, sprach er heute Mittag sanft zu mir. Eine Träne wollte mir ins Auge treten – ich wandte mich – nahm meinen Mantel und stürzte ins Freie.

Nun zu Hause angelangt, durchrieselt mich eiskalter Schauer – ich will schlafen geh'n!

Jänner 18–

Ich habe sie gesehn, – sie war schön wie immer, jedoch ein wenig bleich – sie warf einen Blick voll Verachtung mir zu! Ich bin auch nicht mehr wert in ihren Augen!

Jänner 18–

Ich will studieren – mein Geist ist wüst. – Ich kann keinen Gedanken festhalten – Im Gewühle der Menschen fühlt der Unglückliche sich am verlassensten! Selbst die Natur hat für ihn nur die Sprache der Trauer!

Jänner 18–

Adolph ist mit einem gleichgültigen Kopfesneigen an mir vorübergegangen – das tut mir weh.

Jänner 18–

Adolph hat mich aller Orten als einen wunderlichen, überspannten Menschen geschildert.

Das hohe Bewußtsein ist mein eigen, größer gehandelt zu haben, als er gehandelt haben würde.

Doch nein – man soll von andern immer besser denken, als von sich.

Jänner 18–

Zwanzigtausend Taler empfängt Helene als Brautschatz von ihrem Vater.

Auf übermorgen ist die Hochzeit anberaumt.

Jänner 18–

Gegen das Dienstmädchen soll Helene sich geäußert haben, dass sie ein großes Opfer bringe, indem sie dem Wunsche ihres Vaters folge.

Eitles Gerede, du verwirrst mich nicht.

Februar 18–

Vater und ich sind zur Hochzeit geladen. Gern blieb ich daheim, aber der Vater besteht darauf, dass auch ich nicht fehlen dürfe.

Februar 18–

O wie schön war die Braut! Wie die dunklen Locken so schwärmerisch das bleiche Antlitz beschatteten! Wie schön der grüne Kranz um die majestätische Stirn sich wand!

Nicht eines Blickes hat sie mich gewürdigt, und wenn ja zufällig ihre Augen den meinigen begegneten, alsbald schlug dieselben sie zu Boden.

Wie er zärtlich sie umarmt und die Seine genannt.

Herz, mein Herz! Du wirst brechen.

Februar 18–

Ich muss bei der Hochzeitfeier sehr zerstreut gewesen sein, weil mein Vater über mein Benehmen mir noch heute Vorwürfe gemacht.

Februar 18–

Sie sind knapp an mir vorbeigegangen und haben mich nicht gesehen. – Adolph begeistert – Helene sanft und still.

Ich halte es nicht aus im ängstlichen Zimmer! Ich will einen langen Spaziergang machen!

Februar 18–

Adolph hat mich besucht und ist sehr freundlich gewesen. Sein Glück ist – wie er es schildert – überschwänglich.

Im Stillen weide ich mich an dem Gedanken: Du hast es gegründet! Aber die Wunde meines Herzens heilt darob nicht zu.

Februar 18–

Wann das Glück ganz und auf ewig zerschmettert, dann gewährt es eine eigene Wollust, sich unglücklich zu fühlen. Etwas muss existieren, was der Mensch mit Leidenschaft auffasst und so die Freuden untreu worden, umarmt er in Verzückung seine Schmerzen.

Ich hab' eine beträchtliche Pilgerfahrt zurückgelegt – durch die weiten totenstillen Auen bis zum Ufer, das die Donau ernst bespült.

Das Eis ist mehrenteils gebrochen und darunter rauscht und wirbelt die Flut so wunderschaurig und lockend, als gält es zu künden, in ihren Armen ruhe sich's kühl für heiße Gemüter.

Februar 18–

Alles tot. – Keine Liebe. – Auch mein Vater hat mich heute einen wahnsinnigen Schwärmer genannt, der nie glücklich werden wird.

Februar 18–

Ich hab' all mein Leben überdacht. – Ich bin ganz in mich zurückgegangen.

Über Sternen ist ein gnädiger Richter. Ich war wieder an der großen Donau Strand. – Sie haben wieder gerufen, die Wellen, so lockend, so tröstend! Was tu' ich hier?

Februar 18–

Stiller Todesmut verlass mich nicht. – Ich bin ein irrer, fremder Gast!

Hier endet das Tagebuch. Kein Auge hat den Schwärmer wieder gesehen.

Fünfzehn Monate nach der Verehelichung hat Adolph mit einem bedeutenden Passivstande seine Handlung geschlossen und sich von Helenen gerichtlich scheiden lassen.

In der jüngsten Zeit ist er Geschäftsträger einer Fabriksunternehmung und verlebt sehr angenehme Stunden in den Armen einer naiven Modistin.

Der blasse Franz

Melancholie haust nicht einzig und allein in den Salons der Vornehmen, wenn sie gleich dort ihre meisten Opfer sich erwählt; auch in kerngesunde Volksgemüter spritzt diese süße giftige Schlange ihr zerstörend Gift und manche einst so helle Augen leuchten düster gleich der Ampel, die am Sarge eines Toten brennt.

Der blasse Franz, dessen Andenken nunmehr verschollen, war einst ein Konversationsstoff der Vorstadt.

Ich kann ihn mir noch lebhaft vorstellen, wie er mit gesenktem Haupt, die lange Weste bis ans Kinn zusammengeknöpft, mit den Schößen seines weiten trappfarbenen Rockes spielend, durch die Straßen schritt.

Ich hatte ihn, bevor ich näher unterrichtet war, für einen Mann hoch in den Vierzigen gehalten, da er doch kaum dreißig Jahre zählte.

Einst saß ich in der Schenke beim Adler. Das Publikum war ziemlich zahlreich. Ich ließ meine Blicke auf- und niedergleiten und beschaute mir des Volkes Tun und Treiben.

»Heute kommt der blasse Franz«, sprach ein Eintretender gegen einen abgeschlossenen Zecherkreis, »das gibt wieder einen Spaß.«

Es währte nicht lange, als der blasse Mann, von lustiger Begleitung umgeben, eintrat. Man räumte ihm einen Platz ein, hing ihm einen großen papiernen Zopf auf den Rücken und zeichnete mit Kohlen allerlei hübsche Figuren auf seinen lichten Rock. Er schien das alles zu ignorieren, blitzte mit seinen gläsernen Augen unstet umher und lächelte zuweilen so wehmütig und grässlich, dass selbst einigen aus der mutwilligen Runde die weitere Fortsetzung des rohen Spaßes nicht mehr behagte. Einer der Gesellschaft nahm sein Bierglas und setzte sich an den Tisch, wo ich allein einen Platz innehatte. Der Mann sah derb, aber bieder aus. Ich ging ihn um Aufschlüsse über den Unglücklichen an. »Ja, das ist eine traurige Geschichte«, ward mir zur Antwort.

»Der Vater des Armen, Claus mit Namen, war einer der reichsten Gärtner – und der Arme selbst war in jungen Jahren einer der schönsten und wackersten Buben. Der Vater hat in der Erziehung nichts gespart – wär' auch alles gut gegangen – der Junge ward von dem Kaufmanne, bei dem er sich der Handlung befließ, eine Perle geheißen. – Da kommt eine Liebschaft überquer – dem jungen Franz blickt das Töchterlein des alten Veit, eines armen Schusters, ins Herz. Das war im Angesicht des Gärtners der höchste Frevel. – Er – reich und Bürger! – Veit – blutarm und bloß befugt! – Den Liebenden ward das Zusammenkommen untersagt. – Veit opferte lieber sein Kind, als eine Kundschaft und bewahrte – ein Argus – die Pforte vor dem Eintritte des Werbers, – unterdrückte Flammen jedoch lodern heller auf, – es bot sich denn doch eine Gelegenheit – und! – als Claus Franzens geheime Liebe und Mariens (so hieß das schöne Kind) Zustand erfuhr, da hat er geflucht – hat all' sein Vermögen einem Kloster geschenkt und ist als Frater ins Kloster gegangen. Veit hat ähnlicherweise gehandelt. Er stieß die Tochter in ihrer Not zur Tür hinaus, bedeutend, dass er lange genug *ein* Kind erhalten habe, dass es ihm aber nicht einfalle, nun auch noch für ein zweites zu sorgen. Eine alte Hühnerkrämerin war mitleidig und gab der Armen Unterstand, – doch bedurfte sie nicht lange dieser Hilfe, – eine vorzeitige Geburt, – tot waren Mutter und Kind. – Franz schien anfangs des Schicksals Schläge gelassen zu tragen. – Doch soll er schon damals zu Zeiten unheimlich gelächelt haben. – Kurz, die Ruhe des Leidenden war nicht das Zeichen der Kraft, sondern der Erschlaffung. – Nach Verlauf von wenig Monaten äußerte sich eine gewisse Geistesverlorenheit, – sein Prinzipal konnte ihn im Comptoir nicht mehr behalten, – der wackere Mann ließ ihn jedoch nicht ohne Unterstützung, – ja er unterstützt ihn noch jetzt, – außerdem beschäftigt sich der unglückliche Mensch mit Kolorieren von Stickmustern.«

»Ja, wohl unglücklich«, rief ich aus und betrachtete das blasse, keineswegs unangenehme Gesicht. »Es ist schändlich, eines Leidenden zu spotten.«

»Jawohl«, sprach mein Tischgenosse, »auch dürfen Sie ihn, der jetzt das Stichblatt ist, nicht aller reinen Ideen bar halten, – würden Sie ihn näher kennen, es müsste Ihnen weh tun, zu sehen, welche reiche Geisteswelt – die sich in gewissen Momenten zu entfesseln strebt – in namenloser Trauer untergeht.«

Tieftraurig verließ ich die Schenke. Ich konnte die ganze Nacht die bleiche Gestalt nicht verbannen. Es vergingen Wochen. Beschäftigung hatte den düstern Eindruck geschwächt. Eines Tages besuchte ich einen mir befreundeten Arzt. Er war nicht zu Hause. Ich musste warten. Wie groß war mein Erstaunen, als die schaurig blasse Figur eintrat. Mir ward unheimlich.

»Sie scheuen sich vor mir«, scholl von den krampfhaft verdrehten Lippen. »Ja, ja«, setzte er bedeutend hinzu und neigte sein Haupt, »das ist mein Los, entweder graut den Menschen vor mir, oder sie lachen mich aus!«

Ich wollte etwas entgegnen; er fiel mir ins Wort.

»Ich bin ja nicht böse – sehen Sie – ich bin auch nicht wahnsinnig, wie so manche meinen – ich – nun – ich bin krank – lange – schon lange. – Der Doktor meint – ich würde wieder gesund werden – ich glaub's nicht.« – Er fasste meine Hand. »Sie sind noch gesund – o, das ist eine Wohltat! – Ich war reich, und glücklich in Liebe. – Ich bin arm, Marie ist tot – nun, das kann bald einen treffen – mich hat's furchtbar ergriffen. Ich bring seit der Zeit das Fieber nicht los!«

Der Doktor kam. Ich bedeutete ihm, sich vorerst dem Kranken zuwenden zu wollen.

»Ist der Unglückliche aus der Zahl ihrer Patienten?«, fragte ich, als der Blasse sich entfernt hatte.

»Ich mag ihm das Aus- und Eingehen nicht hindern – übrigens hat die Kunst hier den Markstein. – Seine Krankheit heißt: Melancholia perennis!«

Der Winter von 18– auf 18– war sehr streng. Ich wanderte einst spät bei Nacht durch die Straßen! Tiefer Schnee – rings schaurige Stille. – An der Ecke eines Hauses lehnte eine Mannsgestalt – die Arme verschränkt – das Haupt geneigt – vom Mond seltsam beleuchtet – erfroren – der arme blasse Franz! –

Bekenntnis eines Freundes

Sie haben mich jüngst bei der Soiree im –schen Haus bewundert und getadelt, dass ich während des allgemeinen Jubels mich einsam an eine Säule lehnte und den Blick auf die glänzenden Parketten warf, als lägen unter ihnen die Freuden meiner Liebe begraben.

Sie hatten recht, Liebesgedanken waren es, die mich durchbebten, wenngleich die freundliche Göttin nur zweimal in flüchtigen Träumen mir erschien, um mich zu lehren, auf welch' ein Himmelreich im Erdenleben ich von vorhinein zu verzichten von des Schicksals Macht verurteilt ward.

In einem Alter von achtzehn Jahren verlor ich meinen Vater.

Der Hinterbliebenen waren vier. Ich, die Mutter, ein Bruder von sechs und eine lahme Schwester von fünfzehn Jahren.

Vermögen war keines vorhanden.

Auf Pension hatte die Mutter keinen Anspruch.

Das Elend war grenzenlos. Ich brach meine Studien ab und ging in ein Comptoir.

Unter solchen Konstellationen stellte ich früh Betrachtungen über einen festen Lebensplan an.

»Liebe darf dich nicht beglücken«, war das Resultat dieses Nachdenkens. »Selbst der reichsten Frau kann es nicht gleichgültig sein, wenn ihr Gatte seine Verwandten unterstützt und die eigene Familie verkürzt. An der Seite einer unbemittelten Gemahlin müsstest du dir den Vorwurf machen, jene aufgegeben zu haben, die auf der weiten Erde keinen Freund sonst haben, als dich. – Die Mutter ins Haus nehmen geht nicht an, denn an ihrer Widerwärtigkeit und Herrschsucht müsste das Glück der Ehe zerschellen. – Auf die Zeit rechnen. – Gesetzt, die Mutter stürbe – der Bruder fände bereits allein sein Fortkommen – wer sorgt für die lahme Schwester?« Genug – mein Entschluss stand fest: »Du gehst allein durchs Leben.«

Um nun nicht selber Kämpfe hervorzurufen und die Befolgung meines Vorsatzes zu erschweren, vermied ich nach Möglichkeit jede Gesellschaft. Am meisten ging ich noch in das Haus eines bejahrten biedern

Rates, der mit meinem Prinzipal befreundet war, wo ich, durch das Dienstverhältnis gezwungen, selbst dem schönen, blassen Töchterlein nicht ganz ausweichen konnte. Das Mädchen hieß Auguste und war etwa zwei Jahre jünger als ich. Ich kargte sehr mit Worten und schaute, wie man mich hinterdrein versicherte, recht trübselig drein, da Kummer und Not selbst in das Antlitz des seelenstärksten Menschen ihre finsteren Epitaphia zeichnen.

Auguste erwies sich stets sehr huldvoll gegen mich, erkundigte sich um meine häuslichen Verhältnisse, die ich ihr dann immer einfach und wahr schilderte.

Solche Teilnahme an meinem Schicksale tat mir wohl; da ich aber nicht lieben und geliebt werden wollte, achtete ich ihrer Blicke stumme Sprache nicht weiter und lockte unbewusst Tränen in das Auge eines liebevollen, engelreinen Mädchens.

Vier Jahre nach meines Vaters Tod fing Auguste zu kränkeln an. Bald konnte sie nicht mehr das Bett verlassen. Ich kam nun öfter zum Besuch, da ich Mitgefühl *der* schuldig zu sein glaubte, die sich oft um mein Geschick so warm bekümmert hatte.

Dieses Mitgefühl ging, als ich im Leiden ihre schöne Seele ganz zu beurteilen imstande war, in eine wärmere Empfindung über.

Der Arzt gab die Hoffnung auf.

Die Krankheit hatte sich auf die Lunge geschlagen und stellte eine baldige traurige Entscheidung in Aussicht.

Am Abende vor ihrer Auflösung fasste sie meine Hand. »Ich muss sterben. Was ich sonst nicht sagen konnte und durfte, mögen Sie jetzt wissen – die Scheidende braucht nimmer zu erröten – ich habe Sie lieb, unendlich lieb gehabt!«

Ich vermochte bis dahin dem Schmerze kühn entgegen zu streben – jetzt aber brach ein Tränenstrom aus meinen Augen.

»Auguste«, rief ich, »ich werde Ihrer nie vergessen.«

Sie versuchte zu lächeln, richtete ihre großen blauen Augen starr auf mich und legte sich zum Sterben nieder.

Am Morgen war sie tot.

Aus ihrem Haar hat mir der alte Herr eine Rose flechten lassen.

Ein Jahr nach Augustens Tod lernte ich Charlotte, eine Mündel meines Prinzipals, kennen.

Sie war noch sehr traurig über den Verlust beider Eltern, die rasch nacheinander gestorben waren. Wir klagten uns gegenseitig unser Leid – fanden uns anfangs erträglich, dann angenehm.

Sooft, wann ich düster war, fuhr sie mir mit der zarten, weißen Hand leise übers Angesicht, und sah ich sie weinen, drückte ich einen flüchtigen Kuss auf ihre samtene Stirn.

Immer näher und näher schlugen sich unsere Herzen entgegen.

Da besann ich mich – raffte meine volle Kraft zusammen – schilderte Charlotten meine Verhältnisse – bat sie, mir die Sünde zu vergeben, in einem Mädchenherzen Wünsche hervorgerufen zu haben, deren Befriedigung außer meinem Machtkreise liege.

Charlotte bedeckte mit beiden Händen ihre nassen Augen und nannte mich falsch und kalt.

Später gab sie einer bessern Überzeugung Raum: Lächelte wieder, wenn ich sie sah und nannte mich einen guten, schwärmerischen Menschen.

Jahre sind vergangen. Liebe hat mich nicht wieder versucht.

Im Drang der Geschäfte gingen die weichlichen Gefühle unter und ich gelte mehrenteils als heiterer, ja wohl gar als glücklicher Mann.

Auch habe ich wohl zunächst keinen Grund zur Klage.

Mein Auskommen finde ich; und der Bruder, welcher studiert, macht mir durch seine guten Fortschritte viele Freuden.

Und dennoch haben Sie mich so wunderbar zerstreut und düster gefunden beim Soiree im –schen Hause! – Nun! – Nun!

Ich habe Charlotte nach langer, langer Zeit an jenem Abend gesehen.

Sie war schön und geschmackvoll gekleidet. Ihr Antlitz heiter. Sie spielte mit einem Knäblein von beiläufig drei Jahren, das mutwillig an ihr emporhüpfte.

Als sie mich gewahrte, lächelte sie sanft.

»Sind verehlicht?«, fragte ich.

»Im vierten Jahre«, war die Antwort.

»Und recht glücklich, wie ich ahne!«

»Allerdings«, dabei küsste sie den rosenwangigen Jungen. »Und wie ergeht es Ihnen?«

»Ich bin zufrieden«, versetzte ich, verbeugte mich zitternd, schwankte gesenkten Haupts in den leeren Salon und lehnte mich einsam an die marmorne Säule.

Eine Sage

Das unvermutete Hinscheiden des jungen und blühenden Theodor R– erweckte vor einigen Jahren die allgemeine Teilnahme.

Diese wurde dadurch, dass der Todesfall sich in der Nacht vor dem zur Hochzeit anberaumten Tage ereignete, gesteigert.

Auch ging damals eine Sage von Mund zu Mund, welche, da sie nicht uninteressant und teilweise unbekannt, teilweise vergessen sein dürfte, in diesen Zeilen neu zum Lichte auferstehen soll.

Theodors erste Geliebte, Emilie, hatte nach längerem Krankenlager das Irdische verlassen.

Bevor sie sich zum Sterben niederlegte, hatte Theodor die feierliche Versicherung ausgesprochen, dass ihr allein sein Herz gehöre, dass er nie wieder lieben wolle.

Drei Jahre waren vergangen. Das Kreuz über Emiliens Hügel stand noch aufrecht, aber die Erinnerung in Theodors Seele war verblasst.

Er entbrannte für seines Freundes schöne Schwester und ward auch von ihr wieder geliebt.

Bis jetzt war es noch zu keiner Erklärung gekommen; eines Abends aber befreite sich die Flamme des Gefühls und Theodor gestand Clotilden, dass er sich in ihrem Besitze glücklich achten würde, dass sie sein Herz gefesselt hätte.

Am Morgen danach besuchte ihn wie gewöhnlich Clotildens Bruder.

»Gott – wie bleich du bist! Ist dir nicht wohl?«

»Ich habe schlecht geschlafen –«

»Du scheinst ganz verändert.«

»Nun, es ist eine Narredei! – Du, der mein ganzes Leben kennt, magst es wissen! – Aber – musst nicht lachen! – Ich habe wundersam, fast grässlich geträumt!«

»Nichts weiter!«

»Höre. Ich legte mich nieder und schlummerte alsbald ein. – Plötzlich fühlte ich mich im Innersten erschüttert. Ich blickte auf, sehe den Boden meines Zimmers sich spalten und eine Gestalt in schneeweißem Kleide emporschweben. Das Antlitz leichenfahl. Die Augen geschlossen. Meinem Lager zuschreitend, gewinnt der Schemen vollen Ausdruck! – Ich erkenne die Züge Emiliens! Nicht genug! Die furchtbare Erscheinung ergreift meine Hand. Die Augenlider tauen langsam auf und gleich fernem Wetterleuchten zittern Blicke nieder! – Mir graut. Da lässt die Gestalt meine Rechte fahren und legt ihre beiden eiskalten Hände auf die Stelle, unter der mein Herz lebhaft pochte!

Frost durchrieselt Mark und Bein! – Da hebt die Uhr an die zwölfte Stunde auszuheben – ›Denk' an dein Gelübde‹, flüstert es dumpf wie aus einem Sarge!

Ich schloss die Augen und öffnete sie schüchtern wieder. Da streichelte mich freundlich eine weiche Mädchenhand – ein schönes Lockenhaupt neigte sich über meine Stirn und winkte mit süß schwärmerischen Augen zum Folgen. – Erst um sieben Uhr bin ich erwacht. Auf meiner Stirn stand kalter Schweiß! Es war ein Traum – ein alberner Traum – aber ich fühle mich abgespannt und todesmüde!«

»Das kommt«, hub Carl an, »von deinen unfruchtbaren Grübeleien und eitlen Gewissensskrupeln. Emilie ist tot! – Du lebst und liebst! – Weiß ich doch längst, dass zwischen dir und meiner Schwester ein wärmeres Gefühl als das der Freundschaft waltet!«

»Ich leugne es nicht, ja ich liebe warm und innig! – Die freundliche Gestalt meines düstern Traums mit den langen blonden Locken war deine Schwester Clotilde!«

Monden vergingen.

Theodor und Clotilde wurden als Brautleute verkündet, nach acht Tagen sollte die Hochzeit sein.

Wie erstaunte Carl, als er seinen Freund am Morgen danach abermals so entstellt und blaß fand.

»Sie ist wieder erschienen, die schauerliche Tote – sie hat wieder die eiskalte Hand auf dieses Herz gelegt – und gewarnet furchtbar und dumpf: ›Denk deines Eids ... du wirst die Brautnacht nicht feiern ... Ich fordere, was mein ... dein *Herz*!‹ – Und wieder schlossen die Augenlider so sachte sich auf, und wieder flammten die Blicke so furchtbar!«

»Theodor, du scheinst eine Krankheit befahren zu müssen! Diese fieberhaften Aufwallungen! Diese ängstlichen Bilder!« –

Nach einigen Tagen jedoch war Theodor ganz heiter.

An der Seite seines biedern, ihn beschwichtigenden und die Erscheinungen der Nacht als eitle Phantome erklärenden Freundes baute er auf der nächsten Zukunft goldene Zauberschlösser auf.

Am Abende vor der Hochzeit schien eine gewisse Wehmut Theodors Antlitz verdüstern zu wollen – doch verscheuchten diese leichten Wolken bald die Küsse seiner holden Braut und kurz vor Mitternacht schied er erst von der, die ihn vom nächsten Morgen als unzertrennliche Gefährtin durchs Leben begleiten sollte.

Am Hochzeitstage empfing Clotilde statt des Jawortes von des Gatten Lippen die Trauerkunde, dass Theodor über Nacht verblichen sei.

Ärztlichen Berichten zufolge lag des Todes Grund in der Berstung des Herzens.

Die Schenkenblume

Das Gasthaus zum silbernen Vergissmeinnicht war in der Vorstadt eines der besuchtesten.

Ich hab' schon bei vielen Gelegenheiten erwähnt, dass ich derlei öffentliche Orte aus dem Grunde zuweilen besuche, um des Volkes Denken und Treiben in seinen ungeschminkten Äußerungen zu beobachten.

Es schlug elf Uhr. Der Sturmwind warf den Schnee ans Fenster.

Ich saß an einem kleinen Tische. Um mich behaupteten sich drei bejahrte Gewerbsleute.

Ich hatte mich an den albernen und vernünftigen Ansichten meiner nahen und fernen Umgebung bereits genugsam erbaut und wollte dem Schirme meiner Penaten entgegenwallen, als die Tür sich öffnete und ein kaum siebenzehnjähriges Mädchen, welches Pomeranzen ausspielte, eintrat.

Ihre Kleider trugen das Gepräge tiefer Armut und hoher Reinlichkeit.

Im Antlitz spiegelten sich Frivolität und Anmut.

Am Tische nächst der Kellnerei, dem größten des Gemaches, der durchgehends von sogenannten gewöhnlichen Gästen besetzt war, erwachte mit einem das regste Leben.

Das Mädchen wanderte von einem Arm in den andern.

»Schade um das schöne Kind«, sprach mein unmittelbarer Nachbar.

»Ei was«, bemerkte der Gegenübersitzende, »ist doch nur eine gewöhnliche Dirne.«

»Was macht das Brüderlein, Emilie?«, fragte der Dritte.

»Das ist krank«, lautete die Antwort.

Zugleich suchte sie durch Schmeicheleien die Lose abzusetzen.

Ich wollte keines nehmen.

Da sie aber mit schwärmerischen Bitten und Blicken nicht nachließ, gab ich ihr einige kleine Münzen mit dem Bedenken, dass ich auf ein Los verzichten wolle.

Das nützte nichts – ich musste eines nehmen und gewann.

Ich wies die mir zugefallenen Pomeranzen zurück.

Da kamen dem Mädchen Tränen in die Augen. »Ja – ich seh's – Sie verachten mich – bin auch kein besseres Los wert«, – und indem sie die Pomeranzen fallen ließ, war sie wie ein Blitz verschwunden.

Ich wurde, wie es sich leicht denken lässt, ob dem sonderbaren Benehmen des Mädchens gegen meine Person ziemlich laut ausgelacht.

Ich lachte mit, dachte aber dennoch nicht ohne Interesse an das sonderbare Kind.

Es vergingen Monate.

Ich wanderte einsam vor die Linien hinaus. Schon tauchten hie und da Veilchen aus dem dürren Rasen empor.

Ich hatte das Dorf, das Ziel meiner Pilgerschaft, erreicht.

Als ich um eine Ecke bog, trat mir ein Knäblein entgegen und trug mir Zahnstocher zum Kaufen an.

Es war ein liebes Kind – die blonden Locken flossen zierlich gescheitelt über den Nacken hinab.

Das blaue Auge schaute so arglos in die liebe Welt hinein, dass, um ungerührt zu bleiben, wohl ein härteres Herz als meines nötig war.

Was mich aber besonders fesselte, war die Ähnlichkeit mit einem Antlitz, das in meiner Erinnerung auftauchte, ohne zu wissen, wo ich es gesehen hätte.

»Hast du Eltern?«, fragte ich den Kleinen.

»Mutter ist tot!«

»Der Vater?«

»Ist ein Maler.«

»Und wohnet im Dorfe?«

»Er sagt, dass hier die Gräber wohlfeiler sind!«

Ich stellte noch mehrere Fragen.

»Ich hab' auch eine Schwester«, fuhr der Kleine fort, »die heißt Emilie.«

»Emilie!«, rief ich mich besinnend.

»Ja! – Die ist gut – recht gut – der Vater ist auch gut. – Die Schwester handelt mit Zitronen – ja – ja –«, setzte er nach einer Pause hinzu, »Vater und Schwester haben mich recht lieb, aber beide weinen oft stundenlang – das tut mir recht weh – wir haben oft nichts zu essen – und ich verdiene so wenig.«

Ich reichte dem lieben Jungen einige Groschen und wollte weiter schreiten, als Emilie heranstürzte und ihrem Bruder eilig zu folgen winkte.

Begeistert eilte der Kleine entgegen und wies seinen Erwerb vor.

Emilie warf einen wehmütigen Blick auf mich.

»Sie verachten mich«, sprach sie sanft.

Ich erwiderte, dass ich nicht an Vorurteilen hänge, dass ich weder vorschnell zu lieben noch zu hassen gewohnt sei, und dass ich nicht begreifen könne, wie an meiner Meinung einem Mädchen, das ich jetzt zum zweiten Male sähe, gelegen sein könne.

»Doch«, versetzte sie traurig. – »Alle, die ich auf meinen Wegen kennenlerne, gleichen trunkenen Zechern, die das Glas zerschlagen, wenn sie den goldenen Wein daraus getrunken. – Sie bedürfen meiner

Liebe nicht – bleiben kalt und freundlich. – So – so – kannt' ich Sie schon vor acht Jahren.«

»Mich?«

»Nun freilich! Sie wohnten ja damals in unserm Hause nächst – ich war neun Jahre alt.«

»Nicht möglich!«

»Bald nachdem Sie ausgezogen, verkaufte mein Vater das Haus. Der Weinhandel, der ihn zum reichen Mann erhoben hatte, warf ihn durch unglückliche Unternehmungen zum Bettelstabe nieder. – Die Mutter starb – der Vater ist etwas geistesverloren – in seinen lichten Stunden malt er Heiligenbilder und ich –. Bruder komm«, fuhr sie empor und senkte die tränenfeuchten Wimpern zu Boden. »Leben Sie wohl!«

Als der Sommer sein kräftigstes Wirken entfaltete, begegnete ich dem Knaben im Prater.

Er war nett gekleidet. Ein bejahrter Mann ging mit ihm.

Ich erkundigte mich.

Der Vater war gestorben. Die Schwester diente als Kellnerin in Altlerchenfeld und bestritt die Verpflegungs- und Unterrichtskosten für den Bruder. Der alte Herr war ein Schulgehilfe, dem der Knabe anvertraut war.

Ich konnte die Neugierde nicht unterdrücken, Emilie in ihrer neuen Amtswirksamkeit zu schauen.

Ich erstaunte.

Das kaum achtzehnjährige Mädchen war totenblass. – Ein grelles Lächeln kontrastierte schaurig mit dem melancholischen Blick.

Als ich mich entfernte, fasste sie krampfhaft meine Hand: »Wenn's nur meinem Bruder einmal gut ergeht.«

Ich hab' sie nie mehr gesehen.

Vor einigen Wochen las ich Emilien im Totenzettel.

Das Knäblein ist mir seit jener Zeit auch nicht wieder zu Gesicht gekommen.

Was wohl aus dem geworden sein mag?

Der Fremde

Novelle

Das Konzert war beendet. Die Zuhörer schieden teils begeistert, teils beseligt. Am tiefsten war Laura, des Amtsmanns Töchterlein, erschüttert. Aber nicht Musik und Gesang waren der Grund der Aufregung. Der hagere blasse, junge Mann mit dem melancholischen schwarzen Augenpaar und den leisen Spott verkündenden Lippen, der neben ihr seinen Platz behauptet hatte, war das Objekt ihrer Teilnahme. Außer Zweifel ein Fremder – und dass er der höhern Klasse der Gesellschaft angehören müsste, bezeugte das stolze und freie Benehmen. – Ein schöner Mann vermag vieles über ein Frauenherz – ein interessanter alles! –

Der Mutter kam Laurens Benehmen befremdend vor, war doch der Grundton des ganzen Konzertes ein heiterer gewesen. »Ist dir unwohl?«, fragte sie besorgt.

»Nein«, war die kurze Antwort und die feurigen Augen flackerten unstet.

»Es kommt ja auch dein Heinrich noch; wenn er dich so missgelaunt findet, grämt er sich.«

»Ich mag ihn heut nicht sehen, ich will gleich zu Bette.«

Die Mutter schüttelte den Kopf. »Nun, nun«, dachte sie, »wird wahrscheinlich zwischen beiden eine kleine Wetterwolke schweben! – Liebesgrillen!«

»Ich werde dich mit Kopfweh entschuldigen, nicht wahr, Laura!«

»Gute Nacht!«, sprach das Mädchen, fuhr sich mit der Hand über die Stirne, und ging in ihr Zimmer.

Heinrich kam. Die Mutter berichtete dem Bewerber um der Tochter Huld deren Unwohlsein.

»Aber vor dem Konzerte, wo ich sie sprach, war sie noch ganz heiter.«

»Allerdings – aber während desselben wurde sie düster und düsterer. Ich hielt dafür, dass eine kleine Misshelligkeit, die zwischen Liebenden sich bald ereignet, ihre weibliche Empfindlichkeit aufgerufen habe.«

»Ich weiß mich auf nichts zu besinnen.«

Laura konnte kein Auge schließen. Die blasse, hagere Gestalt trat so lockend, so unwiderstehlich vor ihre Sinne, dass sie zuletzt in einen Tränenstrom ausbrach. Sie dachte an Heinrich, der bereits als Knabe, bevor er auf die Hochschule ging, ihr, dem zarten Mägdelein, so klare Beweise eines warmen Herzens gegeben. Sie erinnerte sich, wie er vor vier Jahren als blühender Jüngling zurückkam und wie er seitdem so treu an ihr stets gehangen. Dennoch konnten sich diese Bilder nicht halten. Sie sah den Mann des Konzertes die Lippen höhnisch zusammenziehen, als wollte er sagen: »Törin, du weißt nicht, was Liebe ist. Ich will dich's lehren. In meinen Armen blüht deine Welt.« – Manchmal erfasste sie Grauen, aber selbst im Entsetzen lag ein heimlicher Reiz, wie es wohl der furchtbaren Brandung des Meeres zu eigen, die mit ihren Schrecken allen den Beschauer hinabzurufen scheint. Ermattung schloss die Augen des Mädchens.

Der Morgen tauchte empor und mit ihm erwachten des Mädchens Phantasien. Die Mutter schickte nach dem Arzt. Er kam und gab sein Urteil dahin ab, dass ein Nervenfieber zu besorgen sei. Auch Heinrich trat ans Bett der Geliebten. Bei seinem Anblick schauderte das Mädchen. »Gott, diesen Menschen soll ich lieben – nimmermehr – lieber sterben!« Alle staunten. Doch meinte die Mutter, dass im krankhaften Zustande dem Menschen oft das sonst Liebste auf der Welt widerlich erscheine.

Die Krankheit gestaltete sich bedenklich und man fürchtete fürs Leben.

Dennoch trug Körperkraft den Sieg davon.

Heinrich hatte mittlerweile eine selbstständige Stellung errungen und hoffte Laura nach ihrer vollständigen Genesung als Gattin heimzuführen.

Letztere umarmte auch innig wie in frühern Zeiten den redlichen Jugendfreund.

Die Gesundheit zu festigen, riet der Arzt eine Reise in ein nahe gelegenes Bad.

In der Hoffnung eines baldigen Wiedersehens schieden Laura und Heinrich.

Die heitere Luft der gebirgigen Gegend, verbunden mit dem Gebrauch der stärkenden Quelle gab Lauren bald ihre vollen Kräfte wieder.

Am Tage vor der anberaumten Abreise empfahl sie sich in allen jenen Häusern, wohin sie öfter zu Gaste gekommen war. Die letzte Visite stattete sie beim Legationsrate R– ab. Eben war eine kleine Soiree. Die Knie wollten ihr zusammenbrechen, als sie neben der Dame des Hauses den fast vergessenen rätselhaften hageren blassen Mann mit dem trüben Blick und dem zauberischen Lächeln sitzen sah.

»Mich deucht, ich hatte schon einmal zu seh'n das Glück«, sprach der Fremde.

»Ich besinne mich«, entgegnete Laura, in das Anschaun des unheimlich liebenswürdigen Menschen versunken.

Die Konversation war lebhaft. Laura schwieg. Sie wünschte meilentief unter der Erde begraben zu sein, aber unwillkürlich trafen immer wieder ihre Augen mit denen des abenteuerlichen Gastes zusammen.

Dieser ließ sein Wissen im hellsten Licht erglänzen. Er erzählte von seinen vielen Reisen, von grässlichen Unglücksfällen, von gekränkter Liebe, zuletzt hüllte er sich in den Mantel der kalten Stoa und lächelte von den Höhen edler Resignation über die Torheiten der Welt.

»Ich fühle mich unwohl«, seufzte Laura und neigte ihr Haupt auf die Schulter der Hausfrau.

»Ich werde das holde Kind unversehrt nach Hause zu geleiten die Gefahr und Ehre auf mich nehmen«, äußerte der Fremde.

Laura schwieg und sank bewusstlos in die Arme des sich zu ihrem Schutz aufwerfenden Ritters.

Als sie noch vor'm Morgengrau'n erwachte, gewahrte sie sich in einer fremden Wohnung.

Der blasse hagere Mann trat ins Zimmer. »Ich meinte«, nahm er das Wort, »die Fahrt in Ihre von der meinen noch immerhin ziemlich entfernte Wohnung würde Ihren schwachen Kräften allzubeschwerlich fallen und war so frei, Ihnen diese Zimmer als Asyl zu eröffnen.«

Laura zauderte, ob sie zürnen oder danken sollte. Es lag so furchtbar Schreckliches, so geheimnisvoll Anziehendes in den blassen Zügen des Sprechers.

Er setzte sich hierauf ans Bett der Leidenden, begann mit südländischer Glut die Gefühle seines Herzens zu schildern und zeichnete in kühnen Umrissen großartig traurige Schicksale seines Lebens.

Da ward gepocht. – »Entschuldigen Sie mich –«

Die Kranke versank in Schlummer.

Ein Geräusch – sie fährt empor und schleicht in das Nebenzimmer, zu lauschen. Durch die Tapetentür tönen Stimmen: »Eitle Mühe, die Kasse hatte er bereits abgeliefert – wir waren schlecht berichtet. – Schad' um das junge Leben, hab' ihm mehr als zehn Stiche geben müssen, bis er vollends zusammenbrach.«

»Wo habt Ihr den Leichnam liegen lassen?«

»Nicht so laut – im zweiten Zimmer rastet die Maid, die ich gestern Abend vindizierte – ich dachte mich in ihren Armen für so manches Stück fruchtloser Arbeit zu entschädigen!«

»Darauf heißt's verzichten – wir müssen augenblicklich flüchten! Der jüngste Anfall in A– hat der Behörden Aufmerksamkeit ohnehin auf uns gelenkt. – Das Diplom des erschlagenen Grafen dürfte auch nicht länger ein Talisman gegen Verdacht und Anschuldigungen sein!« –

»Einverstanden – wir schnüren unsren Bündel und wenden uns nach Amerika.«

Die Jungfrau stürzte ohnmächtig nieder. – Als sie sich emporrichtete, drückte ihr dichter entgegenqualmender Rauch die Augenlider zu. Das Haus stand in Flammen. Balken krachten, Wagen rasselten. »Es ist ein grandioses Feuerwerk«, scholl es durch die knisternde Wand, »und erfüllt seine Bestimmung. – Die Aufmerksamkeit des Volkes ist von der Leiche abgezogen und wendet sich dem neuen Flammenspektakel zu. Jetzt schnell die Gelegenheit der allgemeinen Verwirrung benützt und fort über die Grenze! Nur das Mädchen will ich noch retten: Der arme Wurm würde jetzt zwecklos verbrennen.«

Laura fühlte sich ergriffen und ins Freie gebracht.

Des Feuers jedoch ward man sobald nicht Meister. An 20 Häuser sanken in Asche.

Als Laura ihrer Besinnung mächtig war, eröffnete sie die gemachten grauenvollen Entdeckungen.

Man zeigte ihr die Leiche, welche man unweit von der Heerstraße im Gehölz gefunden hatte. – Es war Heinrichs Leiche, der seine Geliebte aus dem Kurorte abzuholen gesonnen war, da er eben eine Geldsendung in der Umgegend zu besorgen hatte.

Das Mädchen sprach kein Wort.

Entsetzen band die Zunge.

Leidender, als sie fortgezogen, betrat die Arme das elterliche Haus. Ihre Wangen fielen ein – ihre Blicke kehrten sich gegen die eigene Brust. – Wo sie wallte und weilte, sah sie das schaurige, blasse, verführerische Antlitz – und des lieben Jugendfreundes blutige Gestalt.

Als die Schwalben gegen Süden zogen, legte sie ihr Haupt in der Mutter Schoß und starb.

Des abenteuerlichen Fremdlings und Verbrechers Spur war und blieb verloren.

Man wusste nichts weiter anzugeben, als dass er unter der Firma eines auswärtigen Kavaliers mehrere Monate hindurch die Bäder frequentierte und die allgemeine Achtung genossen hatte.

Der Krüppel

Skizze aus dem Leben

Nachfolgende Erzählung hat den Reiz der Neuheit oder einer grotesken Schicksalsverkettung nicht für sich. Leiden, so sie schildert, sind unter denselben Verhältnissen schon oft geschildert worden und aus gleicher harter Schule haben Schriftsteller vor mir bei weitem größere Helden hervortreten lassen.

Dennoch glaub' ich, dass sich diese Zeilen nicht ganz ohne Teilnahme dürften lesen lassen, denn Wahrheit – selbe liegt zum Grunde – lässt, sei sie auch noch so oft schon da gewesen, niemals kalt.

Bekannt war in der Vorstadt das Rosenhäusel. Es mochte bereits manch' Jahrhundert überdauert haben, denn die, mitten im Hof in das Stöckel hinausführende steinerne Stiege mit dem schweren eisernen Geländer zeigte in einer Vertiefung die Jahreszahl 1688, und doch konnte es keinem Forscher entgehen, dass sie das Werk einer viel spätern Zeit war, denn das Haus selber, da sich in einer kleinen, als Magazin dienenden Halle noch die Spuren einer ältern, durch die neuere entbehrlich gewordenen Stiege befanden.

Dies Häuslein war das Eigentum eines hochbetagten Zwischenhändlers, der in einem Alter von 60 Jahren zum ersten Male geheiratet und ein an Geist und Körper sehr verschiedenes Kinderpaar in die Welt befördert hatte.

Mit 70 Jahren folgte er dem despotischen Rufe eines allbezwingenden Genius und legte sich zum Sterben nieder.

Die Witwe wusste sich über den Hintritt des Gatten in Bälde zu trösten, was bei einem Alter von 28 Jahren und einem großen Vermögen verwaisten Frauen wohl mehrenteils leicht gelingt.

Das Töchterlein hieß Therese, war schlank und üppig und wusste ihr feines Gesicht schon in früher Jugend sehr graziös ab- und zuzuwenden.

Andreas, so lautete des Bruders Name, hatte einen bedeutenden Höcker, Sichelbeine und einen aufgeschlitzten Mund.

Frau von Gertler, als solche führe ich die Witwe meinen Lesern aus, war auf ihr Töchterlein ungemein stolz und freute sich der Bewunderung, so man der liebenswürdigen Therese an allen öffentlichen Orten angedeihen ließ, besonders wenn ein galanter Ritter nebenbei auch ihr, der glücklichen Mutter, die gebührende Huldigung darzubringen nicht vergaß.

Andreas wurde nicht nur geringgeschätzt, sondern vielmehr bitter gehasst, da Weiber nichts erträglich finden können, was sie nicht lieben.

Wenn Andreas aus der Schule kam, musste er den Hof zusammenkehren und den Garten pflegen.

Kamen Mutter und Tochter von der Promenade oder aus dem Theater zurück, so brach gewöhnlich ein Donnerwetter los. Einmal war die Diele nicht gehörig gefegt, ein andermal waren Theresens

Schuhe nicht glänzend und rein genug poliert oder die Lampen nicht rein genug gehalten.

Derlei Geschäfte waren dem guten Andreas zugewiesen, bei deren Zustandebringung selbst die Köchin Zeugenstelle zu übernehmen berechtigt war und ihm nach Gutdünken nachträgliche Ermahnungen spenden, oder wohl gar seinem mit dünnen Haaren besetzten Haupte mittelst ihrer derben Hand eine beliebige Richtung geben durfte.

Andreas tat und duldete alles still, schaute mit seinen großen blauen Augen gegen Himmel und die an sich unschönen Lippen zuckten wehmütig rührend zusammen.

Wenn aber alles im Schlummer, im tiefen Schlummer lag, dann schlich er hinab zur alten Marthe, einer Obsthändlerin, die im Hause wohnte, und träumte sich selig bei Liebes- und Ritterromanen.

Die alte Marthe war auch die Einzige, die am Schicksal des armen Andreas Anteil nahm. Das alte Mütterlein war die Witwe eines Holzhauers, mit dem sie fröhliche Tage verlebt und einen Sohn erzeugt hatte, der als Korporal auf einem Schlachtfelde geblieben war.

Mit inniger Wehmut sah sie den guten Andreas so schmählich behandelt und eröffnete ihm ihre Wohnung als Asyl. Andreas, der sonst nirgends Liebe erfuhr, fühlte sich unwiderstehlich zur herzlichen Alten hingezogen und war über alle Maßen entzückt, wenn er sie seinen Vorlesungen lauschen sah.

Marthe suchte wo nur möglich Bücher aufzutreiben. Andreas überwand sie mit Heroismus.

Darüber verlernte er seiner Mutter zu zürnen, seine Schwester zu hassen.

Frau von Gertler erfuhr bald das Verhältnis ihres Sohnes zur alten Marthe; da sie aber denselben gern los war, gönnte sie ihm seine Zufluchtsstätte mit der hochmütigen Äußerung: »Nun ja, zum Pöbel gehört er, für die höhere Welt ist er ein Schandfleck!«

Andreas zählte bereits siebzehn Jahre.

Immer noch wurde von Seite der Mutter und der Schwester redlich auf ihn losgepufft, immer fand er Erholung und Trost unter dem Schirme von Marthens Penaten.

Das viele Lesen erweckte in ihm die Idee, Auszüge zu machen, das häufige Schreiben machte seine Handschrift flink und gefällig.

Nie hatte er nachgedacht für eine Stellung in der Welt sich zu bilden. Er benahm sich andern gegenüber blöd, nur über seinen Folianten gingen Augen und Herz ihm auf.

Frau von Gertler spielte indes auf der Bühne des Lebens die jugendliche Witwe fort. Bälle, Theater, Konzerte wurden gewissenhaft besucht. Mutter und Tochter waren von Anbetern umlagert.

Frau von Gertler hoffte ihre Tochter um einen hohen Preis losschlagen zu können und erachtete es daher für überflüssig, die Haushaltung zu kontrollieren.

Es erregte ihr daher nicht die angenehmste Empfindung, als Therese dem einundzwanzigsten Jahre zueilte und von den reichen Weihrauchstreuern noch keiner sich entschlossen hatte, das schöne Kind ins Ehebett zu führen und das bedeutende Defizit zu decken, welches seit des ehrwürdigen Alten Verscheiden auf dem Rosenhäusel haftete.

Man beschloss die Realität zu veräußern und in die Stadt zu ziehen.

Andreas erhielt die Weisung, sich selber den Unterhalt zu erwerben.

So wenig Andreas Mutter und Schwester liebte, geschah ihm doch hart, dass er sich von ihnen trennen musste.

Die Grässlichkeit seiner eigenen Lage, so auf Geratewohl in die Welt hinausgestoßen zu sein, begriff er in seiner Einfalt nicht.

Das Schicksal erwies sich als gnädiger Vormund.

Marthe kannte einen Advokaten, der auf ihre Fürbitte den Armen mit Schreibereien versorgte, welche dieser zur größten Zufriedenheit lieferte.

Wenn er den ganzen Tag recht fleißig geschrieben hatte, setzte er sich abends an die Seite seiner mütterlichen Pflegerin und las.

All seinen Verdienst übergab er Marthens Händen, nur einiges hatte er mit ihrem Wissen zurückbehalten und ein seidenes Halstuch gekauft, mit dem er seiner Schwester zum Namensfeste eine Freude machen wollte.

Er ging nach der Stadt.

Aber wie weit von seinen süßen Träumen lag die Erfahrung.

Ein Diener öffnete.

Mutter und Schwester traten entgegen.

»Augenblicklich fort«, zürnte die Mutter, »hast uns in der Vorstadt genug Schande gemacht, du hässlicher Bursche! Hebe dich weg, oder ich lasse dich durch meinen Martin hinausbefördern.«

Im Innersten zerschmettert wankte Andreas fort.

Den ganzen Weg entlang weinte er heiße Tränen.

Die alte Marthe tröstete ihn: »Das war vorauszusetzen; ei nun, dafür habe ich dich lieb!«

Die Unbilde ging in der Erinnerung unter, und nach und nach auch Mutter und Schwester.

Wenn Ruhe das größte Glück hienieden, so war Andreas recht glücklich; denn sein Gemüt war still gleich der unbewegten See. Die großen blauen Augen leuchteten hell und unbefangen, der letzte, höchste Wunsch war Marthens vergnügliches Lächeln.

Aber mag der Mensch die Bedingungen der irdischen Glückseligkeit noch so bescheiden stellen, des Schicksals harter Sinn beachtet sie nicht.

Marthe starb.

Jener Schmerz, der sich heftig in Klagen und Tränen äußert, zieht wie ein Frühlingswetter schnell vorbei – jener Schmerz, der still und trüb über bleiche Wangen schleicht, ist dem Herbstesnebel zu vergleichen, dem des Winters tödliche Erstarrung folgt.

Andreas weinte nicht; ruhig und schwärmerisch schaute er ins blasse Antlitz seiner toten Pflegerin. Wenige Stunden vor ihrem Verscheiden hatte sie ihn zum Erben ihrer zwar kleinen, aber doch nicht ganz unbedeutenden Habe eingesetzt.

Der Advokat war ein wahrhaft biederer Mann. Er kannte die Unbeholfenheit des guten Andreas in der Welt, nahm ihn in sein Haus, sicherte sein Eigentum und verwendete ihn in der Kanzlei.

So gut und freundlich er sich behandelt fand, fehlte doch die warme Anhänglichkeit, die seinem Herzen so wohlgetan.

Abends nach vollendeter Arbeit wandelte er gegen die Bastei und schaute hinaus in die Gegend, wo der Friedhof und die gute Marthe lag.

Immer matter und matter brannte das Lebenslämpchen in dem schwächlichen Körper.

Vierzehn Monde nach Marthe schloss auch Andreas seine Augen zu.

Er ruht auf demselben Friedhof in derselben Reihe.

Die Verlassenschaft reichte für die wackere Frau von Gertler eben hin, eine Badereise zu unternehmen, von der sie jedoch nicht wieder zurückkehrte, da sie infolge einer heftigen Aufregung am Blutsturz starb.

Therese ist in ein Kloster gegangen.

Das Rosenhäusel ist ebenfalls verschwunden. Ein schönes, drei Stockwerke hohes Gebäude hebt sich über seinen Ruinen empor.

Die Schauspielerin

Frei nach dem Französischen

Auf einer von den Bühnen zu Paris gab man vor mehreren Jahren »Wallenstein«. Die Rolle der Thekla ward von Adelaide, dem damaligen Lieblinge der eleganten Welt, gespielt; einem schlanken Mädchen, über deren holdes Antlitz Melancholie den zauberischen Schleier warf.

Das Theater war voll. Rechts, nahe an den ebenerdigen Logen war ein junger Mann bemerkbar, den ein edler Wuchs begünstigte. Seine Kleidung war sinnig, über seine Stirne rollten weiche dunkle Locken, auf der Brust trug er eine weiße Nelke. Nicht der Menge pruniendes Gewühl, nicht die herrliche Vorstellung schien ihn zu fesseln. Als aber Thekla auftrat, da leuchteten seine Augen voll geheimen Feuers und hafteten wie selig an der lieblichen Gestalt. Auch Theklas Blick schweifte an den Logen vorüber: Ihr Spiel errang die höchste Meisterschaft. Von allen Seiten erscholl Beifallsjubel – Blumen wehten ihr entgegen, doch nur eine weiße Nelke drückte sie von allen schüchtern an die zarten Lippen.

In sternenheller Mitternacht rauschte an einer Ecke des Palais Royal eine sanfte Nachtmusik. Durch die Gemächer des ersten Stockwerkes verbreitete sich Licht, ein Mädchen lehnte sich über den Samtpolster flüchtig zum Fenster hinaus, wehmütig mit einer weißen Nelke spielend, die am jungfräulichen Busen hing.

Tags darauf meldete man bei Adelaiden jemanden an. Es war Vicomte D. Adelaide führte den schönen Gast in die innern Gemächer und ließ sich an seiner Seite auf einem Sofa nieder, vor dem ein Blumentischchen stand, das in einer mit Wasser gefüllten Urne eine Nelke wies.

Sooft D. auf Adelaide blickte, senkten sich seine Augen unwillkürlich nieder und sanfte Röte überflog des Mädchens Gesicht.

»O was hat die verwelkliche Blume in Ihren Augen solchen Wert?«, fragte D.

»Weil sie von Ihnen getragen ward«, lispelte Adelaide und eine lange Pause unterbrach das Gespräch.

»Herr Graf sind noch nicht lange in Paris?«

»Seit neun Tagen.«

»Und wie lange gedenken Sie zu verweilen?«

»So lange Sie es wünschen!«

D. sprach's und wieder entstand eine Pause.

Ein Monat war verstrichen und »Wallenstein« kam wieder zur Aufführung; aber der Thekla wurde nicht mehr so rauschender Beifall, weil Adelaide keine Besuche mehr annahm und sie stets aus dem Theater ein Batar nach Hause brachte, auf dessen Seite das D–sche Wappen sich befand.

Immer lieber gewann der Graf Paris, nicht um seiner öffentlichen Plätze, nicht der Zerstreuung willen; zwei dunkle Augen waren es, die ihm voranleuchteten auf seinen Wegen. Er lebte nur einzig für die schöne Künstlerin: All seine Sehnsucht galt ihr. Täglich besuchte er seine Loge, denn er war mondsüchtig und das Theater sein Mond.

An einem Abende trat ein Bedienter der Theaterdirektion in glänzender Livree ein, eine Rose in der Hand, an deren Stengel auch eine Knospe war.

»Diese Rose wird dem Vicomte D. geschickt – der Lohn ist fünf Francs.«

D. blickte dem Diener in die Augen. Dieser aber schien neuerdings seinen Lohn zu verlangen. Der Graf zahlte ihm denselben. Gleichgültig drehte er die Rose hin und her, als ein Papierstreifchen herausfiel mit folgender Inschrift:

»Kann Ihnen die Knospe, deren Zauber verborgen ist, besser gefallen, als die mit Wonne gefüllte Rose.

M. B. St.

Germainstraße Nr. –«

Der Graf steckte das Briefchen lächelnd in die Brusttasche, sich nicht weiter um die abenteuerliche Verfasserin kümmernd.

Eine Woche darauf saß er selig an Adelaidens Seite.

»Weißt du, was es Neues gibt?«

»O lass das Neue! Dass du mich liebst, soll ewig fortklingen in meiner Seele«, entgegnete sanft verweisend Adelaide.

»Teures Mädchens – doch sieh – dein Bildnis erschien im Stahlstich.« Dies sagend, zog der Vicomte ein Pergament hervor und streute zugleich ein zusammengerolltes Papierchen auf den Teppich hin. Adelaide hob es auf und las mit leuchtenden Augen.

»Ha, ha, Madame B., Prima Donna unserer Bühne«, rief sie mit Hohngelächter. »Herr Graf, ich will die Bedeutung wissen.«

»Verzeihen Sie, ich vergaß die Sache über ihre Kleinigkeit.«

»Kein Wort, Herr Graf, wann waren Sie in der St.-Germain-Straße?«

»Vor mehr als vier Wochen.«

»Wie? Madame B. wohnte ja damals in der Bastillestraße!«

»Ich war nie bei ihr.«

»So – o die Verstellungskunst! Es ist gut, Herr Graf«, – endete sie mit schnellem Atemholen und stellte Schreibmateriale auf den Tisch – »hier ist ein Sessel – Herr Graf – näher – so – nehmen Sie die Feder und schreiben Sie – nicht – nicht – warten Sie – ein anderes Papier – dieses gelbe ist gut – es spiegelt die Farbe der Eifersucht – so, jetzt schreiben Sie!«

»Aber Adelaide, um Gottes willen.«

»Schreiben Sie – ich bitte Herr Graf.«

»Aber was?«

»Das werd' ich Ihnen diktieren.«

Der Graf schrieb:

»Gnädige Frau! Ihre Kühnheit hat mich beleidigt. – Ich fand Ihren Brief keiner Antwort würdig; nach reifer Überlegung aber schien dieses mir im 19. Jahrhunderte unanständig. Daher –«

»Herr Graf haben noch die Rose, welche Sie von ihr empfangen?«

»Ich weiß nicht, Adelaide.«

»Sie müssen es wissen, müssen die Rose haben.«

»Ich las gerade Rousseaus Schriften – vielleicht liegt sie dabei.«

Adelaide klingelte. »Georg, der Herr Graf will dir seinen Schlüssel vertrauen – du sollst eine verwelkte Rose abholen – ich bitte Sie, Herr Graf, ihm den Platz anzuzeigen.«

Der Bediente bekam den Schlüssel und ging.

»So, nun schreiben Sie weiter.«

D. schrieb fort.

»– schicke ich Ihnen die Rose zurück und mit Ihrer gütigen Erlaubnis verbleibe ich bei der Knospe.

Vicomte D., Palais Royal, 58. Tür.«

»Adelaide, das ist ja deine Wohnung.«

»Eben das will ich.«

Der Brief wurde versiegelt. Der Diener brachte die Rose.

»Georg, der Herr Graf befiehlt dir, diesen Brief fortzutragen.«

»Wohin befehlen Herr Graf.«

D. zeigte ihm die Wohnung an und Georg trug den Brief an Ort und Stelle.

In Adelaidens Augen leuchtete eine Träne.

»Mein Victor – mein Einziger! – Du bist treu«, – und ihre Worte begleitete ein so milder Ausdruck des lieblichen Gesichtes, der selber auf einen Caligula seine Wirkung nicht hätte verfehlen können.

Bald hieran endigte sich bei der Direktion des Theaters ein Prozess – infolgedessen Fräulein Adelaide entlassen wurde. Madame B. trug die Schuld. Inniger noch fühlte sich der Vicomte an das schöne Mädchen gebunden.

Adelaide erschien nun nicht mehr auf der Bühne, sondern in der Loge an der Seite D–s, und tausende priesen und lästerten die holde Schauspielerin, indem sie kühn für die nahe Verbindung der beiden Liebenden bürgten.

Der Vollmond warf seinen blassen Schimmer auf die Tuillerien. Dort saß auf grauer Steinbank ein zärtliches Paar.

»Was zieht dich zu dieser undankbaren Laufbahn, Adelaide! So viel Hohn und Missverständnisse! Unter ermüdenden Arbeiten fließt dein Leben dahin und doch verkleinern neidische Gegner deinen Ruhm!«

»Was mich zu dieser undankbaren Laufbahn zieht? O mein Victor, du kennst nicht die Zauber des Bühnenspiels. Auf einem Flusse führt es zum Grabe, dessen ein Ufer öder Fels ist, die Heimat der Leiden, aber dessen anderes eine Ebene, wo ewiger Frühling herrscht. Vor dem träumenden Geiste schweben Paradiesesblumen und im Sturme des Beifalls verhallen die Stimmen des Grams. In meinen martervollsten Tagen lebe ich doch drei glückliche Stunden auf der Bühne, und wenn das Leben der Lucretia Borgia an mir vorüberbraust, oder wenn ich Thisbes Qualen fühle, überlässt sich Adelaide ruhig dem Schlummer!«

»O wie schmerzt es, dass Familienvorurteile –«

»Kein Wort mehr. Kannst du wähnen, dass ich in dir den Namen Vicomte anbete. Ich wies dir Visitkarten von Marquisen, die ich nie in mein Zimmer ließ. Im Bettelkleide würde ich dich ebenso lieben, als wenn du Napoleon wärest; ich liebe dich, weil du es bist, und dies bedeutet im Munde einer Schauspielerin so viel, als wenn die Damen aus euren Salons auf ihre Seligkeit schwören. Ich liebe dich, doch deine Gattin möchte ich nicht sein!«

Dies war der Inhalt eines Gespräches, das ein Lauscher erfasste und in einem lächerlichen Gewande zu Paris an den Tag brachte.

Es erschienen Karikaturen – Flugschriften – tausend Empfindungen rasten durch Adelaidens Busen.

Wenige Tage flossen hin, als Hamlet auf dem Theaterzettel zugleich mit der Ankündigung stand, dass Adelaide als neu engagiertes Mitglied des Théâtre-Français in Ophelias Rolle auftreten werde. Alles sah mit gespannter Erwartung dem Abende entgegen.

D. wandelte nachmittags durch die Straße, um seine Ophelia zu besuchen. Unterwegs trat er noch zu einem Goldarbeiter. Dann flog er im Palais Royal die Treppen hinan. Kein Diener trat entgegen; indes schon gewöhnt, unangemeldet einzutreten, öffnete er die Tür. Im ersten Zimmer stand ein breiter, sehr alter Garderobekasten. Diesen sah er nie offen. Gerade da fand er Adelaiden mit bebendem Busen, einen Schlüssel in der zitternden Hand. Den Grafen traf die Luft, welche die zugeschlagene Garderobetür verursachte und welche die Fenstervorhänge noch immer flattern machte.

»Mädchen, um Gottes willen! Was geschieht? Ich will, mache den Kasten auf.«

»Mein Victor, Liebster! Verlange es nicht – ich kann es nicht tun«, sprach die erschütterte Schauspielerin.

»Wenn ich es aber als einen Beweis deiner Liebe ansehe!«

»Auch dann nicht!«

»Mädchen, ich verzweifle. Öffne diesen Garderobenkasten!«

»Ich werde ihn nicht aufmachen und du wirst doch nicht verzweifeln!«

Die Uhr schlug vier.

D–s Eifersucht erhöhte sich.

»Es ist gut, Adelaide! Wir trennen uns: Ich sterbe – ich werde wahnsinnig – du bist unedel – in diesem Kasten ist jemand verborgen!«

Die Stirne Adelaidens runzelte sich vor Verdruss und in ihren Augen leuchteten die Zeichen hohen Ehrgefühls.

»So – runzle deine Augenbrauen – sei böse – dieser Blick passt zu deinem verstellten Angesichte, aber solches deckt nicht deine Schande: Es ist gewiss – in diesem Kasten verbirgt sich jemand – aber gut, ich verachte dich, Adelaide! – Sieh diesen Kranz, der für deinen heutigen Auftritt angefertigt wurde – eines Künstlers Meisterstück – ich zerbreche ihn, wie du mein Glück zerbrichst – zu deinen Füßen werfe ich die Stücke, jauchze darüber – ein Schauspieler – Vergnügen. – Mir blutet mein Herz. – Hu, Gehirn, wie es brennt – Luft!«, und seiner unbewusst stürzte er durch die Türe hinaus.

Wohl war abends Théâtre-Français. Das Volk wogte und öfter verlangte es den Anfang. Der Vorhang flog in die Höhe, aber der Direktor zeigte mit kummervoller Miene an, dass das Stück aufgeschoben werden müsste, indem Fräulein Adelaide erkrankt sei.

Den andern Tag war die Tür Nr. 58 im Palais Royal nicht eine Sekunde zu.

Adelaide verlangte die Namensliste der Besuchenden. Marquisen, Komtessen, Vicomten standen aufgezeichnet, aber der Name D. war nicht darunter. Da ward sie in der Tat krank. Tausend Gerüchte verbreiteten sich über ihr Unwohlsein; einige junge Leute trugen Trauer.

Am dritten Tage bekam Adelaide zwei Briefe. Der eine enthielt nebst einer langen Unterschrift Folgendes:

»Endlich errieten wir es, dass Euer Gnaden der Madame B. halber sich vom Theater entfernt halten. B. ist eine unedle Nebenbuhlerin. Seien Sie unbebesorgt, wir werden ihre Entfernung bewirken, auf dass Euer Gnaden als Stern erster Größe am Himmel unserer Bühne glänzen.«

Über Adelaidens Antlitz flog ein bittersüßes Lächeln.

Der zweite Brief kam von D. Stolz und Liebe schienen in seinem zerrissenen Herzen zu kämpfen, und wohl sah das geistvolle Mädchen ein, dass der hitzige Franzose nimmer lange zaudern würde, die Hand zum Frieden zu bieten.

»Es reut ihn in der Tat«, dachte Adelaide, »aber ich muss mich rächen zur Strafe, ja er soll Ursache haben für seine Eifersucht – ich muss!« Sie klingelte. »Marie, dem Grafen C., du weißt, den ich so selten empfing, wirst du von heute an freien Eintritt gewähren, bis ich das Entgegengesetzte beschließe.«

Mittlerweile wurde Madame B. entlassen und Adelaide trat auf. C. tändelte meistens zwischen den Kulissen, wenn sein Liebling spielte; doch mochte jeder Unbefangene leicht erkennen, dass es nicht liebevolle Neigung war, für die er Adelaidens Blicke nehmen durfte. D. hingegen nährte in seinem Innern eine giftige Schlange. Er verlor die Hoffnung an seine Liebe und klagte sich selbst ob vollbrachten Unrechts an. Ihm fehlte der Mut, sie zu besuchen. Scham und Konsequenz hielten ihn zurück. Er wurde düstrer und düstrer.

Dies überraschte Adelaide. »So hoffte ich es nicht«, sprach sie, »er leidet – o meine Ahnung betrügt mich nicht – ja, es ist gewiss, dass er leidet, und doch bleibt er fern!«

In ihren großen, klaren Augen glänzte eine Träne, und doch wollte sie, als die Beleidigte, nicht entgegenkommen.

D. mied das Schauspielhaus – weil Adelaidens Anblick ihm Schmerz verursachte. Und doch lag auch in dieser Entbehrung eine namenlose Qual.

Im Bologneserwald war Feuerwerk. Dort sahen sich beide nach langer Zeit.

Adelaide war herrlich wie eine Königin, schöner und zauberischer denn je, bleich und sehnsuchtweckend wie der Mond. In leichten Locken floss das Haar darnieder, ein schwarzer Schleier flatterte über den schneeigen Busen, wie eine Ahnung ferner Seligkeit.

C. war ihr Begleiter. Sie warf ihre Blicke auf D., sie wünschte ihn zu strafen, und doch war sie all' ihres Handelns unbewusst, sie führte mit C. ein immerwährendes Gespräch, aber ohne Sinn – sie lächelte, aber so wie Sonnenstrahlen durch düstre Wolken fahren, um schnell wieder hinab über den Gesichtskreis zu schweben.

D. lächelte auch und zwar sehr bitter. Er konnte sich selbst, konnte die Umgebung nicht begreifen.

Unwillkürlich näherte er sich der Schauspielerin und fragte mit leiser Stimme: »Wie haben Sie sich unterhalten, Adelaide?«

»Sehr gut«, entgegnete diese mit leichter Verbeugung.

»Es ist kein Wunder; die Darstellung war überaus herrlich«, sagte von neuem mit Hohn D.

»O nein! Sie irren sich, Vicomte, ich danke der Güte dieses Grafen meine Unterhaltung«, und scherzend hing sie sich in C–s Arm.

D. wurde von seinem Bedienten in den Wagen gehoben, denn aus eigenen Kräften einzusteigen vermochte er nicht.

Adelaide saß um elf Uhr nachts noch in selbem Anzuge auf ihrem Ruhebette, den sie beim Feuerwerk anhatte, lässig stützte sie das Haupt auf die Hand: Mit den Lichtern im Zimmer schien der Augen Glanz zu verlöschen. Vor ihr stand schläfrig eine Kammerzofe. »Um Gott, Fräulein, was wollen Sie tun. – Wünschen sie aufzubleiben die ganze Nacht hindurch?«

»Nein.«

»Wollen Sie sich niederlegen?«

»Nein.«

»Darf ich zu Bette gehen?«

»Ja.«

Das Mädchen entfernte sich. In den Türmen schlug es die zwölfte Stunde. Adelaide sprang auf, nahm Schreibzeug und schrieb:

»Vicomte D.! Nein! Nein! Du bist mir nicht Vicomte, mein Victor! Mein Einziger! Eine Schauspielerin ist in allem ungewöhnlich, wenn Kain hasst, wenn Achilles sich rächt, wenn Kleopatra herrschen will – und – wenn liebt – ach hier ist kein Vergleich möglich. Im Garderobekasten hängen meine Bühnenkleider und ich will nicht, dass du jene bei mir sehen sollst. Stolz stehe ich in ihnen vor dem Volke, vor dir schäme ich mich, als ob sie ein Zeichen der Dummheit wären! Ich bete dich an, du bist grausam. – Ich vergesse die Beleidigung – du hast nichts zu vergessen! Komm und bringe mir Hoffnung.« –

Sie klingelte.

»Fräulein, was befehlen?«

»Diesen Brief soll der Bediente morgen um acht Uhr zum Vicomte tragen.«

Adelaide legte sich zur Ruhe.

In den Türmen schlug es die zweite Stunde nach Mitternacht – und wieder klingelte sie; die Zofe erschien.

»Georg soll den Brief noch vor sechs Uhr befördern.«

Andern Tags sprach Adelaide betrübt mit glanzlosen Augen zu Georg:

»Also fandest du ihn wirklich nicht zu Hause?«

»Nein, Fräulein! In der Nacht ließ er zwei Räte zu sich kommen – dann schrieb er einen Brief, ging aus – bis jetzt ist er noch nicht zurück. – Der Brief ist an Euer Gnaden gerichtet – hier!«

Adelaide entriss ihm den Brief. In demselben Augenblicke entstand ein Auflauf in der Gasse – und im Lärmrufen hörte man den Namen D. Die Schauspielerin lief zum Fenster. – Fischer brachten einen aus der Seine gezogenen Toten – dieser war D. –

Adelaide fiel in ein hitziges Fieber. Im Paroxismus war Ophelia und D. ihre Ideen.

Die Ärzte rieten dem Theaterdirektor, dass er um ein neues Mitglied sich bekümmere; denn keine Hoffnung sei mehr für den Auftritt Adelaidens.

Adelaide war einer edlen Familie entstammt. Sie hatte ihre Grundsätze nicht aus dem leichtsinnigen Leben der Bühne. Ihr Geist war tief, ihre Phantasie lebhaft, voll Innigkeit ihr zartes Gemüt, ihre erste, einzige Liebe war D. – Ihre Wünsche, ihre Seligkeit: Alles einte sich in ihm.

An ihrem Krankenlager häufte sich die Anzahl der Besuchenden, aber nur Frauen, keine Männer ließ sie vor. In einem lichten Zeitpunkte ließ sie dem C. melden, dass sie ihn in ihrem Leben nie wieder sehen wolle. Unermüdete Aufmerksamkeit und eine zweckmäßige Kur überwanden endlich die Krankheit.

Auf Anraten der Ärzte gebrauchte Adelaide Bäder: Sie besuchte alle europäischen Hauptstädte, von wannen sie zwar heiterer, aber ewig träumend zurückkehrte. Eines Tages meldete ihr Georg Abgesandte der Gerechtigkeit. Diese teilten ihr das gesetzliche Duplikat eines Testamentes mit, wodurch sie D–s einzige Erbin war. Sie aber nahm es nicht, sondern überließ der Irrenanstalt das Erbgut.

Ihr einziger Wunsch war, noch einmal in der Rolle der Ophelia aufzutreten. Die Ärzte missrieten es, aber sie bestand darauf.

Am Tage der Vorstellung litt sie ungeheure Gemütsschmerzen. Doch schien ihr Betragen ruhig. Wie Sterbende zum letzten Male alle Erinnerungen ihres Lebens wecken, um auf ewig zu scheiden, so auch tauchte in Adelaidens Gemüt das verklungene Sein empor. Als die vierte Stunde sich nahte, öffnete sie den alten Garderobekasten, die in Falten gelegten Schleppen, Samt- und Atlasanzüge breitete sie mit kindischem Nachdenken aus den Boden. Bald saß sie im feierlichen Stillschweigen mit auf die Tür gewandten Augen auf ihrem Ruhebette, wie eine den Bräutigam erwartende Braut.

Die Uhr schlug vier. Die Türe öffnete sich – sie fiel in Ohnmacht; vom Boden hob sie die eintretende Magd auf. Um halb sechs fing sie an zu sich zu kommen und verlangte Eiswasser. Beim Théâtre-Français bereitete man ein anderes Stück – aber sie behauptete fest, sie wolle auftreten. Um sieben Uhr saß sie vor dem Ankleidespiegel, um acht Uhr begann die Vorstellung.

Im Schauspielhause drängte sich eine ungewöhnliche Menschenmasse. Die Logen waren voll Damen des höchsten Adels, worunter auch stolze Verächterinnen des theatralischen Lebens waren, die in Adelaide das gemeinschaftliche Los der Frauen würdigten.

Ophelia trat auf. Aber lange musste sie verstummen. Das Händeklatschen, das Lebe-Hoch-Rufen dauerte fast eine Viertelstunde. In ihrem Spiele herrschte Begeisterung, Erhabenheit, eine überirdische Wehmut. Als sie in der Szene der Wahnsinnigen mit ihrer Krone von Stroh erschien, da verschwanden ihre Worte in ein leises Ächzen. Das Theater ward zum Totenhaus – man konnte das Atemholen vernehmen. – Ophelias Tränen nahmen freien Lauf und Adelaide begann zu reden: »Wie viel Totenblumen in meinen Händen. – O das waren weiße Nelken – so – in die Fluten werfe ich euch – böses Wasser der Seine – trage sie zu meinem schönen Toten D. –«

Darauf verbleichte ihr Antlitz wundervoll, die Mienen zuckten in eine grässliche Form. Wahnsinnig stürzte sie über die Bühne.

Barmherzige Schwestern nahmen unter ihre Obhut die Unglückliche.

Es schwanden die Tage. Adelaide ward nimmer zu sehen auf den Brettern – nimmer lustwandelte sie als Königin durch die staunende Menge. Nach elf Monaten begleitete ein Haufe Fackelträger einen Sarg aus dem Hause der Wahnsinnigen, der ein zwanzigjähriges Mädchen einschloss.

Ein weißer Brautkranz lag darauf.

Die stille Wirtschaft

Vor geraumen Jahren, wo ich als sogenannter Zimmerherr die Rolle eines Ahasverus spielte, und mein Haupt unter dem Schirme der verschiedenartigsten Penaten zum zeitweiligen Schlummer niederlegte, wohnte ich durch längere Frist im Hause eines Totenkränzebinders. Was ich so selten fand, Ruhe und Ordnung, beide waren in ihrer idealen Vollendung dem ganzen Hauswesen ausgedrückt. Einem an reges Leben Gewohnten konnte es sogar daselbst unheimlich werden. Wand, Stuhl, Tisch, alles war mit weißen bleichen Rosen ausgestattet.

Der Meister selbst arbeitete unverdrossen von Morgen bis zum Abend, und war eben kein Muster der Redseligkeit. Seine Ehefrau aber schien – aller Weiblichkeit zum Trotze – vom Gelübde tiefen Schweigens gebunden zu sein. Nur die Notwendigkeit löste ihre Lippen. Ein sonderliches Paar! Ich wusste mir das Rätsel nicht zu deuten. Eine unglückliche Ehe konnt' ich nicht erkennen; denn schonend äußerte der Gatte jeden Wunsch und mit blinder Ergebung folgte die Gattin. Außerdem kam ihnen sogar eine gewisse Wohlhabenheit zustatten. Man gewöhnt alles. Nach längerem Verweilen in der beiden Nähe befremdete mich des Hauses Leichenfrieden nicht mehr. Ich dachte mir, es müsste so sein. – Ja, ich glaubte sogar zuletzt, das Märchen irdischer Glückseligkeit wäre hier zur Wahrheit geworden.

Mehr denn ein halbes Jahr war so an mir vorübergegangen. Da brach ein Tag an, den ich bis jetzt noch nicht aus dem Gedächtnisse verloren habe. Die sonst so ruhige Hauswirtin schien vom Wahnsinn befallen. Heiße Tränen entquollen ihren Augen. – Seufzer und rätselhafte Äußerungen enttönten ihrem Munde. Das dauerte bis zum Abend, wo sie sich erschöpft früher denn gewöhnlich zu Bette legte und entschlief. Ich konnte mich nicht enthalten, den Meister um Aufklärung zu bitten. Dieser nahm meine Unbescheidenheit nicht böse auf und berichtete mit Tränen in den Augen: »Es sind nun gegen zwanzig Jahre, dass ich meine Clara zum Altare führte. Eine sanftere Seele lebt in keiner Menschenhülle, und heute sind es zehn Jahre, dass ein verhängnisvoller Tag unser Glück zertrümmerte. Ich habe sie immer friedlich walten lassen, hatte ich doch die rührendsten Beweise, dass sie für mein Wohlergehen schwärmte und keinen Augenblick sich besonnen hätte, in Not oder Gefahr mein Leben mit dem ihrigen zu erkaufen. Aber da fuhr ein böser Geist durch meinen Sinn. Eine erbärmliche, grundlose Eifersucht bewog mich, ihr Vorwürfe zu machen, und da sie bei meinen bitteren Reden mir den Rücken kehrte, entbrannte meine Wut, ich erhob die Rechte zum verfluchten Streich. Sie brach zusammen. Nun erst besann ich mich. Sie hatte keinen Schaden genommen. – Es war nur Schreck und Scham, welche ihre Kraft vernichtet hatten. Sie schlug die Augen auf, verhüllte sie mit ihren beiden Händen und schluchzte: ›Heinrich, was hast du getan, ich – liebe dich nicht mehr!‹ Eine leise Geistesabspannung erfolgte.

Nie hat sie sich wieder liebevoll und sehnsuchtglühend an meine Brust gelegt. Ernst und schweigend übt sie seit jener Stunde der Hausfrau Pflichten. Sie haben selbst Gelegenheit gehabt, sie beobachten zu können. Eine wandelnde Statue geht sie ein und aus. Nur wenn der Jahrestag, der unheilvolle, kehrt, den sie immer zu denken und zu fürchten scheint, dann wird ihr stiller Schmerz zum lauten Jammer!«

Die Nacht entwich. Am Morgen war Clara ruhig, düster, schweigsam, wie ich sie vordem gesehen. Einige Monate darauf änderte ich aus Berufsrücksichten die Wohnung. Jahre sind vergangen. Jüngst kam mir der ehrliche Meister Heinrich wieder zu Gesichte. Mein Erstes war, nach der armen Gattin zu fragen. »Die schlummert kühl und tief. Am Jahrestage meines unglückseligen Zorns ist sie unter schmerzlichen Zuckungen verschieden. Es sind nun sieben Wochen.«

Die Schwärmerin

Liebe! – Wundervoller Lichtstrahl einer wundervolleren Sonne! Wir fühlen dich – suchen dich – fliehen dich – aber wir begreifen dich nicht! – Süße, furchtbare Botin vom Hereinragen einer Geisterwelt in unser irdisches Wandeln! Gestern gestorben, das blasse, sechzehnjährige Mädchen mit dem sanften melancholischen Blick – habe gelächelt, als ich von den Träumereien der zarten Schwärmerin gehört – habe die Klagen der Eltern nicht weiter beachtet, was kümmert auch den Dichter, in dessen Gemüt Leiden und Wonnen der gesamten Menschheit sich spiegeln, das Verwelken einer einzelnen Rose! Als ich sie aber liegen sah im Sarge – den grünen Kranz in den dunklen Locken, da hat mich ihr Schicksal wundersam schaurig ergriffen. Ich denke sie noch, wie sie vor acht Jahren so mutwillig, so unbefangen um die Mutter spielte – ich erinnere mich, wie ich sie bald darauf sah mit Wangen, die immer blässer wurden, und wie mir die Mutter bedeutete, dass, seit der Bruder ihres Gemahls – der nach langen Reisen sich in der Heimat bleibend niederzulassen beschlossen – zum ersten Male ins Haus auf Besuch gekommen, das alberne Kind nichts anderes zu reden wüsste, als von des Onkels schöner hoher Gestalt.

In der Tat war Lottchens Wesen verändert. Als der Gast eines Tages bemerkte, für Gesang besonders eingenommen zu sein, bestürmte die Kleine ihre Ältern, singen lernen zu dürfen und machte, von Begeisterung entflammt, außerordentliche Fortschritte. Die Augen senkten sich selig zu Boden, die Wangen glühten, als der Onkel ob der Leistungen der aufknospenden Künstlerin Entzücken aussprach.

»Mutter«, fragte Lottchen, »wann werde ich heiraten können?«

Die Mutter lächelte betroffen.

»Nun ja, ich hab' den Onkel unaussprechlich lieb und möchte gerne immer um ihn sein.«

Lottchen wuchs empor, der Busen hub sich an zu schwellen, aber auch die Sehnsucht ward stärker und stärker. Der Onkel, dem bis nun die Neigung des unschuldigen Mädchens Freude gewährt, sah ein, dass nicht bloß kindliches Wohlwollen aus zwei dunklen Augen sprach.

Immer stiller, immer träumerischer und trauriger ward die heranreifende Jungfrau. Die Mutter machte ihr Vorwürfe, als sie gewahrte, wie Lottchen voll heimlicher Seligkeit ein Busentuch krampfhaft in der Hand zerdrückte, das ihr der Onkel vor längerer Zeit zum Namensfest gespendet. Starr richtete sich das Mädchen empor. – Tränen stürzten aus den Augen. Der Onkel beschloss, das Haus zu meiden und äußerte gegen seinen Bruder, dass die Grillen der Tochter (mit andern Worten meinte er die Neigung eines sechzehnjährigen Mädchens gegen einen vierzigjährigen Mann nicht bezeichnen zu können) sich bald verlieren müssten, wenn er seine Besuche einstellen würde.

Das Mädchen fragte häufig und häufig nach dem Außenbleibenden.

»Magst es wissen«, brach zürnend der Vater los, »du bist ihm lästig geworden mit deinen faden, lächerlichen Koketterien. Er will sich deinen Anblick ersparen.«

Lottchen schwieg. Die Augen verloren ihren Glanz, selbst Tränen versiegten. Mahnung, Tadel, Zurechtweisung nahm sie kalt und ruhig hin. – Der Arzt gab die Hoffnung auf.

Am Abend des Verscheidens trat der Onkel an ihr Bett. Eine neue Kraft durchdrang den schwachen Körper – die geschlossenen Augenlider öffneten sich zu einem letzten Blick – die dürren, kalten Hände schwebten ihm entgegen. – Ein Atemzug – sie war nicht mehr.

Am Kirchhof

Schattenriss

Bin zum Kirchhof gegangen. Die Sonne tauchte in grauen Wolken nieder. Leise Abendlüfte machten die zerrissenen Bänder welker Kränze flattern, die hie und da an den Mälern hingen. An der Pforte winselten die Hunde des Gräbers, melancholische Heimchen zirpten. Ich glaubte der einzige Waller auf der Stätte des Todes zu sein, als ich eine Frau von mittleren Jahren gewahrte, die an einem einfachen Stein, selber reglos wie der Stein, gedankenvoll lehnte und auf ein moosbedecktes Grab hinstarrte. »Eine Witwe«, sprach ich zu mir, »die nun auf der Welt keine Heimat hat. Nennst wohl kein freundlich Kind dein eigen, darin du neu aufblühen schauen könntest die Jugendzeit! Der Mann hat's besser. Sein Gefühl gilt der Gesamtheit. Wenn die Gattin stirbt, wenn die Sprossen ihm vorangehen in das dunkle Schattenreich, ihn tröstet die Kraft und das Bewusstsein seines Wirkens. Arme kinderlose Witwe, deren Sphäre abgeschlossen mit des Gatten Tod. Hab' oft schon erfahren den Schmerz des Verlustes, aber die Seufzer der Wehmut verhallten im Wogengedränge des Lebens! Süße, goldene Jugendzeit! Hier das Kreuz neigt sich bereits zum Sinken, unter dem die Gespielin ferner Tage ruht. Wie's mich wundersam ergriff, wenn sie mit den weichen Händen mir übers Antlitz fuhr! Wie wir uns liebten, ohne es zu sagen! Hatte ich doch mit schwärmerischer Sorgfalt eine Haarschleife mir aufbewahrt, die ihr beim Tanz entfallen. – Legte sie doch meine ersten schlechten Verse, die ich an Sonne, Mond und Sterne dichtete, mit weiblicher Pietät in eine Schatulle. Schönes Mädchen, bist mir früh vorangeeilt. War ein schreckliches Gefühl, mit dem ich dir ins blasse Antlitz sah: war eine glühende Träne, die meinem Auge entfiel, als ich unter deinen Verlassenschaftskleinodien meine eigenen verblassten Lieder wiederfand. Erster süßer Liebestraum, schlummere sanft. Dort das Grab fasst einen

Schulgenossen, dem ich oft gram gewesen, wenn er freundlich dich betrachtet! Ist dir bald nachgefolgt, der blühende Junge.«

»Es ist schon spät!«, rief eine Stimme hinter mir. Sie kam vom Totengräber. Ich besann mich. »Dort«, bedeutete ich, »weilt noch jemand –«

»Ei, die ist nicht fortzubringen«, fuhr der Alte fort, »die bellen sogar meine Hunde nicht mehr an.« Ich suchte meine eigene Zerstreutheit dadurch zu verhüllen, dass ich Teilnahme am Schicksale der Fremden äußerte. »O diese Arme«, begann der treuherzige Spatenmann, »hütet seit anderthalb Jahren an jedem nur etwas erträglichen Abend das Grab. Trauert um den Gatten. – Ja, sie hat mir's schon hundertmal erzählt – haben durch zehn Jahre sehr glücklich gelebt, bis er krank geworden. – Krankheiten sind kostspielig. – Wenige Monate vor seinem Tode hatte der Leidende Sehnsucht nach seiner Bäckerei. Die Unglückliche bedachte die geschmolzene Barschaft, die vielleicht für neue Medikamente nicht ausreichte und verweigerte. Er schalt sie hartherzig, warf einen wehmütigen Blick auf sie und starb. Darob wusste sie sich nicht zu fassen. Sie macht sich ewig die bittersten Vorwürfe und nicht Menschenwort noch Gottes Natur können sie trösten.«

Nach Monden stand ich wieder unter den Kreuzen. Mir kam die Witwe in den Sinn, aber ich sah sie nicht. Ich fragte den Gräber. »Ihr Sarg steht schon seit drei Wochen neben dem ihres Gatten; ja, ja«, fügte er hinzu, »an demselben Tag hab' ich sie eingegraben, als *mein* Weib starb. Aber die schläft nicht auf diesem Gottesacker; unsere Leichen gehören auf den Friedhof des Dorfs, und das macht mich ungemein trüb, dass ich, der ich tausend Gräber bereitet, Weib und Kinder von einem Fremden muss einschaufeln lassen.«

Die Mulattin

Skizze aus der Wirklichkeit

Die Wetterwolken der französischen Freiheitsideen hatten sich auch übers Weltmeer gezogen, um auf der westlichen Hemisphäre zu zünden. Die gedrückten und erniedrigten Neger brachen gegen ihre weißen Zwingherren los und übten der Wiedervergeltung grässliches Recht. Die, welche früher ihre Wollust darin fanden, mit allen erdenklichen Qualen zu foltern, konnten kaum Leben und Eigentum vor den Rachеglühenden sichern. Unter den englischen Offizieren, welche die Kolonien verteidigten, befand sich auch Kapitän S–. Er war es, der durch persönliche Tapferkeit und militärische Taktik in den gefahrvollen Kämpfen gegen die fürchterlichen Angreifer sich auszeichnete. Er war es, der durch Besonnenheit und Milde selbst die Herzen der Feinde gewann und einen ehrenvollen Frieden vermitteln half. Als der Feldzug beendet (leider war es nicht der letzte), fasste er den Entschluss, in die Heimat zu kehren. Auf Surinam jedoch, wo er noch einiges zu berichten hatte, überfiel ihn jenes fürchterliche Fieber, dem oft die stärksten Naturen in kurzer Frist als Opfer fallen. Im Hause eines Pflanzers fand er Unterkunft und Pflege. Die zarteste Sorgfalt ward ihm jedoch von einer schönen Sklavin gespendet, die, selber ein Kind eines Engländers und einer Negerin, von des Kapitäns edler Gestalt und Gesinnung sich gefesselt fühlte. S–s Genesung ging langsam vonstatten, Rückfälle schienen mehre Male jede Hoffnung verhöhnen zu wollen.

In demselben Maße, als das Leiden des Kranken die Teilnahme der freundlichen Wärterin erhöhte, machte auch die Idee der Dankbarkeit im Herzen des Kapitäns süßere Gefühle rege.

Als er das erste Mal einen längeren Spaziergang im Freien unternehmen konnte und über die Wange der holden Mulattin eine Träne der Freude ob ihres vom Glück gekrönten Bemühens rollte, da küsste S– die samtene Hand des schlanken, braunen Mädchens, dessen Busen vor Seligkeit erzitterte.

Er versuchte mehre Male zu sprechen, aber der Blick zweier großer, schwarzer Augen, die unter seidenen Wimpern der Melancholie namenlose Reize hegten, entwaffnete seine Redekunst, und fast wie träumend legte er das Haupt auf die Schulter der liebenswürdigen Südlandstochter.

S– war vollends hergestellt, aber der Abschied vom Hause, in dem er einen Engel gefunden, fiel ihm schwer. Hindernisse, welche sich der Heimfahrt entgegenstellten, waren ihm willkommen, um noch länger in trauter Umgebung weilen zu können.

Oft wandelte er nun in mondhellen Nächten, deren Schönheit in jenen Landen jede Schilderung übersteigt, mit Johanna durch die Palmenhaine. Das Mädchen sprach von ihrem Leben und der unglücklichen Liebe ihrer Eltern. »Haben sich so warm umfangen – aber meine schwarze Mutter war die Sklavin eines Plantagenherrn, der meinen Vater, weil er reicher war als er, tödlich hasste. Nicht um die größten Summen gab er der Mutter die Freiheit – darob grämte sich mein Vater und verging im stillen Wahnsinn. Nach meiner Mutter Tod, der ebenfalls bald darauf erfolgte, bin ich in dieses Haus gekommen, wo ich es so gut habe, als es nur immer eine Sklavin haben kann.«

Diese Liebes- und Leidensgeschichte war die Brücke, auf der zwei Seelen sich begegneten.

Der Kapitän suchte durch verschiedene Spenden der Freundin Freude zu machen. Johanna wies alles sanft aber fest zurück. Dieser edle Stolz entflammte S– noch mehr. Immer unentbehrlicher wurden sich beide. Arm in Arm, Mund an Mund ahnten sie die Geistergrüße einer bessern Welt.

S– hatte mittlerweile alle seine Tätigkeit, alle seine Vermögenskräfte aufgeboten, Johannens Freiheit zu erkaufen.

Begeisterungsglühend stürzte er mit der frohen Kunde seiner Geliebten entgegen. Diese lohnte ihn mit einem Blick unbeschreiblichen Wohlwollens.

Da erging an den Kapitän der Ruf, nach Europa zu kehren. »Johanna«, rief er, »du gibst mir die Hand als treues und ehrliches Weib und begleitest mich in die Heimat.«

»Nein«, sprach Johanna, »nein – ich liebe dich – liebe dich unaussprechlich – aber dir folgen werd' ich nicht – du würdest nicht glücklich sein – all' die deinen würden dich verhöhnen, dass du dein Herz an ein fremdes, braunes Mädchen verschenkt – werde glücklich – lass mich hier – der Gedanke an dich sei meine Seligkeit – unter diesen Palmen will ich sterben.«

Die Schwärmerin blieb unerschütterlich. Gebrochenen Herzens nahm S– Abschied.

Ein Jahr war verrollt. Geschäfte aller Art – glänzende Ehrenbezeigungen und Zerstreuungen konnten Johannens Bild nicht im Herzen des Kapitäns vertilgen. Fort ging er zu Schiff. »Mit ihr leben, mit ihr sterben!«, rief er. »O wie wird sie mich umarmen! Welch' heiße Tränen der Rührung wird sie weinen, wenn sie sieht, dass es für mich außer ihr keine Welt mehr gibt!«

Er landete auf der Insel – er trat in das Haus des Pflanzers. »Johanna?«, war sein erstes Wort.

»Die«, bedeutete die Gattin des Grundherrn mit feuchtem Blick, denn sie hatte Anteil genommen an dem holden, reinen Wesen, »die liegt drüben am Bach, unter dem grünen Hügel mit Rosen. Sie ist vor Schwermut gestorben – heute sind es zwanzig Tage!«

Der Pfarrer und sein Schützling

»Ist Euch«, fragte der Pfarrer von St. Madeleine den alten Küster, »jener sonderbare Mann näher bekannt, der täglich, wenn ich Messe lese, im Hintergrunde der Kirche sich einfindet und regungslos, den schwermutvollen Blick gegen den Boden gesenkt, bis zum Schlusse des Gottesdienstes ausharrt?«

»Nein, würdiger Herr Abbé«, entgegnete der Sakristan, »doch besinne ich mich, ihn schon vor 20 Jahren das erste Mal eintreten gesehen zu haben und seit jener Zeit hat sich in seinem Wesen und Gebaren nichts geändert.«

»Er scheint arm und von tiefem Kummer befangen zu sein.«

»Unserem Kirchensprengel gehört er nicht an – doch habe ich nie eine ihm ungünstige Nachrede vernehmen.«

»Weiß nicht«, fuhr der Geistliche fort, »ich fühle für den Mann ein eigentümliches Interesse. Er ist ein verschlossenes Buch, dessen Inhalt zu erfahren es mich reizt.« Alle Bemühungen des Abbé, dem geheimnisvollen Fremden in die Seele zu schauen, blieben jedoch fruchtlos.

Nur auf die Frage, ob Unglück ihn betroffen, äußerte er womöglich finsterer als gewöhnlich blickend: »Jawohl, ich bin unglücklich – pausenlos unglücklich.«

Der Pfarrer gab es auf, tiefer in den seltsamen Mann zu dringen, reichte demselben jedoch ein Almosen, das dankend angenommen wurde.

Fort und fort zur selben Stunde, an derselben Stätte fand der rätselhafte Beter sich ein, oft wiederholte der Abbé seine mildtätigen Spenden.

Eines Tages blieb die dem Alten gleichsam vorbehaltene Stelle im Gotteshause leer. Dem Pfarrer fiel solches allsogleich auf. Als jedoch auch der zweite und dritte Tag den Schützling nicht wies, bat der besorgte Seelenhirt alles auf, die Wohnung des Vermissten auszuforschen. Zweifelsohne hielt ihn ein Siechtum zurück vom Kirchgange. Nach vieler Umfrage ward endlich die gewünschte Kenntnis erlangt.

In einem abgelegenen Viertel – im obersten Stockwerke eines ziemlich verwahrlosten Gebäudes lag auf ärmlichem Strohbette der alte Robert.

Beim Eintreten des Geistlichen fuhr er wie entsetzt zusammen.

»Und es gelang Ihnen, mich aufzufinden – und Sie kümmern sich um den, der sich selber aus der Welt verstoßen, in die er nicht taugt?«

»Hat Ihnen die Welt eine so arge Kränkung zugefügt?«

»Nein – die Welt – nein – ich habe mich an ihr versündigt.«

»Sie scheinen schwer zu leiden: Entdecken Sie sich mir – vielleicht, dass Rettung, Milderung ...«

»Der Tod, denk' ich, wird bald die Rechnung abschließen.«

»Haben Sie nie erfahren, dass durch Mitteilung der Schmerz seinen Stachel einbüßt, dass die Teilnahme eines Freundes das Widerwärtige leicht erträglich macht.«

»Sie mögen Recht haben, würdiger Herr – ich weiß nicht, wodurch ich es verdiene, dass ...«

»Sie sind unglücklich und mein Beruf ist es, die Unglücklichen zu trösten.«

»Ja, ich fühle ein Herz zu Ihnen – wie – nein, es ist kein Trost möglich.«

»Nur wo der Glaube an den Arzt verloren gegangen und jede Arznei vom Misstrauen zurückgewiesen wird, muss die Heilung scheitern; lassen Sie Ihren Arzt mich sein, schenken Sie mir Ihr Vertrauen.«

»Mit dem Leibe geht's zu Grabe, der macht mir keine Sorge mehr, es ist gut, wenn die Maschine bricht – und die Seele – nun die ist auch verloren.«

»Nicht der Verzweiflung verfallen, lieber Freund. – Es waltet über uns eine unendliche Milde.«

»Und Sie halten in der Tat dafür, dass kein Verbrechen so grässlich, so entsetzlich – dessen Sühnung ...«

»Ich glaube fest, dass auch die schwerste Schuld durch Reue ...«

»Tilgbar, nein, was ich verübt, zieht die Waagschale zu tief hinab. Jawohl habe ich es bereut – meine Tränen sind geflossen in glühenden Strömen, bis sie zuletzt versiegt.«

»Sie machen mich schaudern – und doch – eröffnen Sie sich mir, vielleicht, dass mein Rat, meine Tat manch' eine traurige Folge Ihrer Verirrung noch zu beseitigen vermag.«

»Ja, Sie sollen es wissen, ob ich gleich die Überzeugung hege, dass mein Bekenntnis den Einzigen, der in der letzten Stunde liebreich sich mir genaht, mir rauben muss.«

»Ja, würdiger Herr, was sie hier, schon an Kunstwerken und Schätzen, die zu meiner Armut so wenig passen, dieser goldene Becher, diese mit Flur verhängten Bilder, jene silbernen Leuchter, das sind die Dämone gewesen, die mich ins Verderben rissen, die ich nun mir stets vor Augen stelle, um Schuld und Reue nicht im Gedächtnisse verdämmern zu lassen – Schnödes Gold und schnöde Prunksachen haben mich verblendet. – Mein Vater war Amtsschreiber. Unsere Herrschaft entdeckte in mir, als ich noch Knabe war, besondere Fähigkeiten und Talente. Sie ließ mich studieren, ich wurde gleich einem eigenen Kinde gehalten, zuletzt mit der Stelle eines Sekretärs betraut und des vollsten Vertrauens gewürdigt. Da brach die Revolution herein. Auch meine Wohltäter verfielen der Proskription, sie flüchteten. Niemand wusste um ihr Asyl als – ich – und ich, verlockt vom Preise, der auf ihren Häuptern stand – ich ward ihr Verräter. Durch Vermittlung eines Freundes wäre ihnen eine zweite Flucht gelungen, ich hinderte sie und überlieferte Vater, Mutter und drei Söhne dem blutigen Konvente. Ich war zugegen, als sie auf der Guillotine verbluteten. Ein einziger Sprosse, damals beiläufig zwölf Jahre alt, wurde verschont.«

»Entsetzlich«, hub nach einer Pause tief ergriffen der Priester an, »entsetzlich! Doch die Gnade dessen, der über uns waltet, ist schrankenlos und unerschöpflich.«

»Einige tausend Livres und diese Schätze fielen mir als Blutgeld zu, doch wurde ich im Genusse des Gewonnenen niemals froh; – wo ich ging und weilte, sah ich die blutigen Häupter meiner Wohltäter mir zu Füßen auf und nieder rollen. Ich suchte mich in sinnlichen Freuden zu betäuben; der Versuch misslang. Ich übergab mich der glühendsten peinigendsten Reue, ich wandte meine Gedanken nach den Sternen, ich verlegte mich auf strengste Kasteiung und Gebet; ach, einem so verworfenen Sünder konnte kein Hoffnungsstrahl der Verzeihung dämmern. Ich rang, so lange meine Kräfte es gestatteten, nach Gelderwerb, nicht um die Früchte des Erworbenen zu genießen, nein, um dem letzten Sprossen des durch mich untergegangenen Hauses einen kleinen Teil der riesengroßen Schuld im Gelde abzuzahlen. Auch was Sie mir gespendet, würdiger Herr, ist jener Summe zugeschlagen worden. Ach, alle meine Bestrebungen, den unglücklichen Erben der Geopferten aufzufinden, blieben erfolglos; dort liegt im Schranke links mein Testament, kraft dessen all mein Eigentum dem Verschollenen, sobald er aufgefunden sein wird, übergeben werden soll. – Würdiger Herr, der Sie so warmen Anteil nehmen an dem Sünder, das ist meine dringendste Bitte: Unterziehen Sie sich der Mühe, den Erben zu erforschen!«

»Verlassen Sie sich unbedingt auf mich.«

»Dort«, fuhr der Alte sich mit aller Anstrengung erhebend fort, »dort die mit schwarzem Flur verhängten Bilder sind die Porträts seines Vaters, seiner Mutter, betrachten Sie.«

»Gott!«, rief der Abbé, in einen Stuhl zurücksinkend und mit beiden Händen sich die Augen verhüllend. »Meine Eltern!«

Momente grauenhafter Stille traten ein. Hörbar glitten des Priesters Tränen zur Erde, hörbar schlug der Puls des Kranken.

»Gott ist gnädig!«, begann endlich sich erhebend der Abbé. »Er hat in Euer zerknirschtes Herz geschaut und Euch verziehen, so wie ich Euch verzeihe. Was Ihr mir zugedacht, soll an die Armen verteilt werden, auf dass deren Dankgebete zum Frommen Eurer Seele aufsteigen zum Lenker der Welt.«

Der Alte wollte noch sprechen, die Kraft versagte. Er sank zurück, dumpfes Röcheln, ein letztes Zucken, das Auge schloss sich, während über die bleichen Züge ein Lächeln der Verklärung schwebte. – Dem Toten zu Häupten aber stand, die Hände zum Segensspruch erhoben, der Priester.

Die Drehorgel

»Du magst es nun wissen«, hub der Fabrikherr Gotthold Walter an, sich behäbig in einen Stuhl zurücklehnend, »du magst es nun wissen, weshalb ich die Badereise unternommen und aus welchem Grunde ich dich aufgefordert, mich zu begleiten.«

»Ich besorge –«

»Was soll das heißen? – Du hast dir keine Sorgen zu machen – noch denke und handle ich für dich – doch auf den Zweck der Reise zu kommen – meine Gesundheitsverhältnisse machten jede Kur entbehrlich und auch Zerstreuung konnte nicht dringend geboten erscheinen – die Meierbach'sche Familie trifft im Lauf der Woche ein – der jüngste Sohn ist leidend – mit dieser ehrenwerten Familie nach langer Zeit wieder in persönlichen Verkehr zu treten, war mein Wunsch – der alte Herr hat eine etwa 18-jährige Tochter, die er gern anständig verheiratet wissen will – das Mädchen ist eine Partie für dich, Gustav, wie ich keine bessere denken kann –«

»Es ist unmöglich, lieber Vater –«

»Unmöglich?! – Albernes Gerede – das Mädchen ist reich – bekommt wenigstens 80.000 Gulden – Walters und Meierbachs Geschäftsinteressen sind seit Jahren eng verflochten, da kann das Herzensbündnis der Kinder nur ein segenreiches sein –«

»Aber ich habe das Mädchen ja noch nie gesehen –«

»Du sollst es eben sehen – deshalb hab' ich dich mit mir genommen – der alte Meierbach wünscht so gut, wie ich, die Verlobung rasch ins Werk gesetzt – Klara ist überdem, wie ich aus verlässlichster Quelle erfahren, schön und gut –«

»Und wenn sie ein Engel ist, diese Clara, – es geht nicht an –«

»Das sagst du? Und in diesem Ton? Ich war bis nun gewohnt, einen gehorsamen Sohn zu finden, und glaube durch die unablässige Sorge für dein Wohl ein heiliges Recht auf deine Unterwerfung zu haben –«

»Ich verkenne nicht die großen Opfer, welche Sie mir gebracht haben und bringen – doch – doch – in dieser Angelegenheit muss ich bitten, mir meinen eigenen Willen zu lassen –«

»Willst du mir den Plan verderben, den ich entworfen? – Willst du eine Idee bekämpfen, deren Ausführung das Werk meines Lebens krönen soll?«

»Sie beteuerten stets mein Glück ins Auge gefasst zu haben –«

»Auch gegenwärtig ist dein Glück der Gegenstand meines Sinnens und Trachtens. Du bekommst eine edle, eine schöne, eine reiche Frau – erhebst dadurch unser Haus zu dem blühendsten des Landes –«

»Nein, Vater, Claras Hand kann mich nicht beglücken.«

»Ich weiß, was du sagen willst – ich weiß, dass bereits eine Dirne dich in ihr Netz gezogen zu haben, sich rühmt – ich weiß um deine Geheimnisse – aber eben deshalb dringe ich auf eine rascheste Verehelichung mit Clara Meierbach –«

»Ihr wisst es Vater – nun – und was lässt gegen Josefine sich einwenden?«

»Du frägst? – Die Tochter des armen Webers soll den Sohn des reichen Fabriks- und Gutsbesitzers Walter freien? Wahnsinn das – nur gleich und gleich gesellt sich gut. – Du bist romanhaft, unerfahren, wie man es mit 23 Jahren ist und darum halte ich es für meine Vaterpflicht, dir den Weg zu zeigen, den du zu wandeln hast.«

»Haben Sie nie geliebt, bester Vater?«

»Ich habe dem Wunsche meines Vaters zu entsprechen, das Mädchen seiner Wahl zum Altare geführt und bin ein reicher, angesehener Mann geworden.«

»Ich kann mich von Josefine nicht trennen –«

»Fantasterei – einige Zeit wird's wohl brennen im Herzen – aber die Zeit hat eine mildernde Kraft und die Wirklichkeit siegt – die Bilder des Jugendtraumes treten tiefer und tiefer in den Hintergrund und werden blässer und blässer – der Wert des Besitzes drängt dem Eigentümer in seiner vollen Bedeutung sich auf und wiegt die letzten Regungen einer schwärmerischen Neigung in Schlummer. Der Mann gefällt sich in seinem praktischen Wirken, in seiner gesellschaftlichen Stellung und lächelt über die Romantik des Jünglings –«

»Ob aber dieses Lächeln von Herzen geht? Ich kann es nicht glauben, dass eine tiefe, wahre, heilige Liebe so leicht auszulöschen ist – die teuren Toten sprechen auch aus den Gräbern noch –«

»Eine Zeit – sagt' ich ja – wird's wohl brennen im Herzen – doch das geht vorüber – und es bleibt dabei – du nimmst die Clara –«

»Ich muss mich weigern – ein bereits gegebenes Wort –«

»Das arme Mädel soll nicht ohne Anerkennung vom reichen Walter scheiden. – Für den süßen Traum, in den sie dich gewiegt, will ich sie großmütig belohnen – doch deine Gattin wird sie nicht –«

»Ihr brecht nicht ihr Herz nur – Ihr brecht auch meines –«

»Diese Drohung schreckt mich nicht – die Herzen brechen nicht so leicht – man vergisst sich oder erinnert sich doch nur aneinander, wie man sich an einen fernen Spaziergang erinnert –«

»Ich war immer ein gehorsamer Sohn – nur in dieser Beziehung kann ich es nicht sein und ich dächte, mich selbst verachten zu müssen, wenn ich die kindliche Ergebenheit bis zur Verleugnung meiner männlichen Ehre, bis zum Wortbruch und zur Niedertracht ausdehnen würde –«

»Wetterjunge!«, fuhr Gotthold Walter auf. »Du hattest kein Wort zu geben, von dem vorauszusehen war, dass die Erfüllung auf meinen Widerspruch stoßen müsse, du hattest von keiner Handlung dich fortreißen zu lassen; die nicht nur auf deine Ehre, sondern auch auf die Ehre deines Hauses, deines Vaters zurückzuwirken vermögend –«

»Ja diesem Falle, lieber Vater, glaubte ich mein eigner Herr zu sein – und was die Ehre –«

»Trotzkopf! – Verblendeter! – Doch für jetzt belass ich es noch bei Vorstellungen, Ermahnungen und Ratschlägen – die Schuld deines Wortbruchs nehme ich auf mein Gewissen. Sollte aber wider Erwarten mein Wort an tauben Ohren verhallen – sollte mein Bemühen an deinem Widerstande scheitern – dann – du hast meinen eisernen Willen kennengelernt – ich kann auch böse sein – dann – stoß' ich dich aus meinem Hause als einen Bettler – den einzigen – undankbaren – ungeratenen Sohn – dann magst du mit deinem Liebchen durch die Welt schlendern, das Lied vom Elend trillern – und dabei – glücklich – recht glücklich sein –«

»Ist das Ihr letztes Wort, lieber Vater?«

»Für jetzt – ja – ich hoffe – dass dir in Bälde die Besinnung zurückkehrt –«

»Und wollen Sie mein Glück in der Tat zerstören – wollen Sie mir wirklich mit unbeugsamer Härte nur die Wahl zwischen Braut und Vater offen lassen – muss der Besitz des einen durch den Verlust des andern bedingt sein?«

»Ich hab' gesprochen und es bleibt dabei –«

»Dann gibt es freilich keine Verständigung!«, rief Gustav und stürzte fort.

»Wahnwitziger!«, grollte Walter dem Enteilenden nach. »Doch – die Überlegung wird wieder zur Obmacht gelangen. Nur durch Ernst können Eltern in solchen Fällen den Kindern imponieren und es ist mein Ernst! –«

Trotz aller Sophismen jedoch, die er auszuführen beflissen war, fand der Aufgeregte die alte, ruhige Verfassung des Gemütes nicht.

»Dass doch die Kinder ihrem eigenen Glück und dem Glücke ihrer Eltern zuwiderhandeln –«, flüsterte er für sich hin. Spät, obschon von der Reise nicht wenig ermüdet, entschloss er sich zu Bette zu gehen.

»Wo er nur hingeeilt? – In einer fremden Stadt – zu welchem Gerede das Anlass geben kann –. Ich will schlafen – schlafen –«

Da begann es zu stöhnen und zu pfeifen und die melancholischen Akkorde einer Drehorgel winselten durch die Abendstille.

»Ein abscheuliches Lied – ein förmlicher Totengesang – das braucht' ich noch –«

Eine Pause erfolgte und von neuem hub die Orgel zu klagen an. Die zweite Weise war fast noch ergreifender als die erste und die Lücken im Spielwerk selbst trugen nicht wenig bei, das Unheimliche noch unheimlicher zu machen. Dem zweiten Orgelstücke folgte ein drittes. Es röchelte wie der letzte Seufzer eines Sterbenden. Nach dem dritten Liede hub wieder das erste an.

»Das ist zum Rasendwerden!«, rief Walter und griff nach der Glocke.

Der Besitzer des Hotels erschien.

»Sie bekümmern sich wahrscheinlich um Ihren Sohn –«

»Nein –«

»Ich dachte – der wandert am Strome auf und nieder – einer meiner Leute hat ihn gesehen – wahrscheinlich ergötzt er sich an der herrlichen Mondnacht –«

»Nein – nein –«, unterbrach Walter, von Fieberfrost durchschüttelt, »ich wollte nur von wegen dieser höllischen Drehorgel, die sich unter meinen Fenstern vernehmen lässt –«

»Ah – hat der Alte wieder erfahren, dass Gäste angekommen – ein wunderlicher Kauz – findet immer zur Badesaison sich ein – schon seit langen Jahren – orgelt ewig seine alten, ausgesung'nen Weisen. – Ist ein wenig nicht bei Trost – tut aber keiner Seele was zuleide –«

»Ist das nicht Leides genug – diese wimmernden ächzenden Töne –«

»Will ihn abschaffen –«

»Tut das – doch er ist arm – müsst ihn nicht hart anfahren – wer weiß, was für ein Unglück! – Sagt ihm – er soll heraufkommen, will ihm – was schenken!«

Der Wirt entfernte sich. »Weiß nicht, was mich plötzlich so weich macht!«, sprach Walter in sich hinein. »Er genießt den Abend am Strome – lächerliche Besorgnisse – wird schon wieder kommen –«

»Melde mich zu Gnaden«, stotterte eine kreischende Greisenstimme.

»Gut – gut – ja so da nehmt – aber Ihr spielt verzweifelte Melodien –«

»Totenlieder, Euer Gnaden – prachtvolle Totenlieder – das erste und zweite sangen sie in Ottendorf und singen's vielleicht noch. Das dritte hab' ich aus Reißstadt –«

»Gut – gut – nehmt –«

»O Ihr seid gar ein freundlicher Herr – will's Euch nochmal heraborgeln – im Zimmer bleibt der Klang mehr beisammen – oh, es sind ergreifende Totenlieder –«

»Ich verlange sie nicht mehr!«

»Nein – nein – glaubt mir's – je öfter Ihr sie hört, diese Akkorde, desto tiefer nisten sie im Herzen ein – desto mehr Bedürfnis werden sie – spiele sie beinahe 30 Jahre und kann nicht satt werden – horcht nur, wie das heraufhohlt aus den tiefsten Schachten der Seele –«

»Es ist genug –«

»Lieber Herr – Ihr habt mich so reich beschenkt – da wär' es undankbar, wenn ich so rasch fortgehen wollte – Ihr sollt es gründlich kennenlernen, dieses Meisterwerk – ist meines Bruders Schöpfung, der war Orgelbauer – rastet auch längst im Kühlen – doch die Angabe ist von mir ausgegangen. – Ihr seid wohl immer glücklich gewesen – da begreift Ihr nicht, welch' ein Trost in der Verzweiflung liegt – und Verzweiflung liegt in diesen Tönen – und wäre sie auch ursprünglich nicht darin gelegen – ich habe sie hineingelegt –«

Sprachs und orgelte nach Leibeskräften.

Walter wehrte es nicht weiter. Das Unglück in der Gestalt des blassen Greises mit den langen, wirren Silberlocken übte einen Bann, dem er sich nicht zu entreißen vermochte.

Eine Pause erfolgte.

»Ja – was in diesen Tönen liegt, lieber, gnädiger Herr! – Meine ganze Geschichte, mein ganzes Elend, mein ganzes Leben liegt in diesen Tönen –«

»Da, nehmt noch diese Kleinigkeit –«

»Ich danke Euch sehr – Ihr gebt es keinem Unwürdigen – ich bin wirklich arm – recht arm – und hab doch einst in freundlichen Verhältnissen gelebt – das war in Ottendorf – da ging's mir gut – du lieber Gott – ein trefflich Weib – ein Töchterlein, so schön wie eine Rosenknospe – ein Sohn, gleich einer Edeltanne aufgeschossen – ich bin zu glücklich gewesen – da ist ein junger Mann ins Haus gekommen – schmuck, zierlich, fein – du lieber Gott, der hat mein Töchterlein verführt und dann – verlassen – das arme Kind ist wahnsinnig geworden und ist gestorben – und dieses Lied – das erste hier in meinem Leierkasten – es war das Totenlied, das sie zu Ottendorf am Sarge Minnas sangen. Acht Wochen d'rauf – die Mütter kränken sich zuweilen fürchterlich – da ist mein Weib vor Kränkung heimgegangen – und dieses Lied – das zweite hier in meinem Leierkasten – es war das Totenlied am Sarg des Weibes –. Ist auch zu Ottendorf gesungen worden. War's Wunder, dass es auch mit mir zu wanken anfing. – Ich zog aus Ottendorf, das mir verhasst geworden war, nach Reißstadt – der Fluch ging aus dem Herzen ins Geschäft. – Was ich nur wagte, das misslang. – Ein Kind noch nannt' ich mein – der arme Junge – er sah das Elend in die Stube ragen – da galt es einen Preis durch Aufsetzung eines Turmknopfs zu erwerben – die Not war groß – mein Sohn – mein Anton – da hat er Gott versucht – der Knopf sitzt auf dem Turm – der ihn befestigt, ist nicht mehr. – Er stürzte – noch hör' ich seine Knochen krachen – und dieses Lied – das dritte hier in meinem Leierkasten – es war das Totenlied, das sie am Sarge meines Sohnes zu Reißstadt sangen. D'rauf trübte sich mein Blick – ich taugte nicht zur Arbeit fürder – was tun – ich hatte nichts im Herzen und im Ohre als die drei Totenlieder und mit dem letzten Geld ging ich zu meinem Bruder, sang ihm die Weisen vor und sprach: ›Die richt' mir auf die Orgel ein – die will ich spielen weit und breit, bei Tag und Nacht und die Leute werden dem Bettler gnädig sein.‹ Er hat sich selbst übertroffen, mein Bruder – er ist ein Meisterstück der Leierkasten – hört nur, wie klagend, wie ergreifend – es liegt das jüngste Gericht in diesen Tönen! –«

»Entsetzlich«, fuhr Walter empor und wischte sich den Angstschweiß von der Stirne.

»Ja – ja – es – wäre an *einem* Liede genug – ist *eines* schon so herzzerreißend – aber drei – drei –. Übrigens ist ein gar feiner, schmucker, junger Herr gewesen – ich glaube Gotthold hat er geheißen – du lieber Gott – wenn man so – alt wird, vergisst man die Namen – und mein armes schönes Töchterlein – ja – ja – das erste Lied ist Minnas Totenlied –«

»Lasst ab – da – nehmt – und morgen – morgen wieder –«

»Nicht wahr – die Orgel ist ein Meisterstück –«

Gleich einem Schatten wankte der Alte fort.

»Er hat mich nicht erkannt!«, atmete Walter auf, »doch – ich will für ihn sorgen – sorgen – er soll nicht betteln mehr – und jetzt vor allem –«

Einem Wahnwitzigen gleich griff er nach seinen Kleidern und stürzte gegen die Türe.

Da trat Gustav ein. Sein Antlitz war etwas verstört, doch aus den Augen blitzte die Kraft eines Entschlusses.

»Ihr seid noch wach, mein Vater –«

»Wo warst du?«

»Ich hab' in der freien Natur nachgedacht über mich und meine Pflichten! –«

»Und dein Entschluss?«

»Ich will lieber als ehrlicher Mann vom Vater verstoßen, als –«

»Du opferst deine Josefine nicht –«

»Nein! – Eher geh' ich als Bettler aus dem Elternhaus!«

»Das sollst du nicht – komm an mein Herz – was ich gesprochen, soll gesprochen nur gewesen sein – nimm deine Josefine und meinen besten Segen –«

»Träum' ich –«

»Wir reisen morgen Abends wieder fort – will mit dem Meierbach jetzt nicht zusammentreffen – Geschäfte müssen uns entschuldigen – nur *einen* Gang – genug – wir wollen ruhen.«

Noch hatte die Sonne nicht ihre volle Pracht entrollt, als Walter die Treppen hinunterflog und nach dem alten Orgelspieler fragte.

»Den trefft ihr nicht mehr unter den Lebenden«, lautete der Bescheid, »vor einer Stunde ist er eingeschlafen. – Gestern Nacht hat er zum letzten Mal gespielt!«

Milton Keynes UK
Ingram Content Group UK Ltd.
UKHW020634260923
429382UK00005B/180